Iwanami Junior Start Books ジュニスタ

俳句部、はじめました

さくら咲く一度っきりの今を詠む

Kono Saki
神野紗希

岩波書店

この本の内容

- 著者の神野紗希（こうのさき）さんは、「俳句甲子園」の取材をきっかけに高校時代に俳句に魅了され俳人の道へ。現在は、俳句の創作や研究をしながら、全国の学校へ出向き、俳句作りの指導もしています。

- 俳句は、五七五の「定型（ていけい）」のリズムに乗せ、季節の言葉「季語（きご）」の力を借りて詠む、世界でいちばん短い詩です。

- 俳句は、素材や言葉を選びません。そう俳句の本質は、自由の精神にあります。そして一度きりしかない「今」を、十七音にそのまま保存してくれます。

1では、歳時記（さいじき）や句会といった俳句世界を学びつつ、十七音の中で私と世界の距離をぐっと縮める体験をしていきます。

2では「友だち」「恋」「性」「アイドル」などを切り口に、小中高生の作も交じえ、俳句を紹介します。多様な句にふれていくうちに、自分の中の気持ちを言葉にしたくなる人もいることでしょう。

そして3では、いよいよ創作にチャレンジしていきます。句作での基本をおさえつつ、初めてでも挑戦しやすい作り方を示します。

五感（ごかん）をフル回転させ、言葉を探してみてください。句作の過程は、あなたの今日を、そして明日を輝かせる力になってくれるはずです。

あなたの十七音を、聞かせてください。

目次

イラスト＝金井真紀

読みやすさを考え、俳句の漢字はおおむね現行の字体に改め、そうでないところはルビをつけるなどしました。

1 俳句の中に、私を見つけた！

俳句甲子園との出会い

あとから振り返って、あれが私の人生を決めたんだって思える場面は、ある日突然やってきます。私にとってそれは、十六歳のあの夏でした。

高校一年生の私は、夏休み、放送部の大会に出るためにアナウンス原稿を書くことになりました。

顧問の先生からは、地元に関わる高校生のイベントがあればぜひ取材するよう、アドバイスを受けます。

母に相談したところ、「俳句甲子園っていう大会があるらしいよ」と教えてくれました。

私の故郷・愛媛県松山市は、正岡子規(まさおかしき)や高浜虚子(たかはまきょし)など俳人を多く出している俳句の町です。まさに地元ならではの高校生のイベント、取材対象にぴったり。さっそく見に行くことにしました。

会場である大学の講堂の隅に座って、パンフレットをひらきます。ふむふむ、五人一組のチームで、赤白に分かれて戦うんだ。剣道の試合みたいに、先鋒（せんぽう）、次鋒（じほう）、中堅（ちゅうけん）と、一句ずつ対戦させるのか。どんな俳句が出てくるんだろう……。ちょうど準決勝がはじまるところ。

わくわくしながら取材メモをひらいたとき、壇上で発表されたのは次の句でした。

いわしぐも進路相談室の窓　　作者不詳

その句を見た瞬間、「この句の中に私がいる」と思いました。

面談に呼ばれたけれど、まだ進路が決まっていなくて、先生の目を見られず、窓の外へ視線をそらします。いわしぐもは、秋の空に果てしなく広がる小さな雲たち。きれいだけど、夏の入道雲に比べたら、ちょっと頼りない。

まるで不安に満ちた私の心を表しているみたい……。進路相談室の窓にいわしぐもを見つけた、ただそれだけの十七音が、心の中にぶわわわっと広がって、リアルな感情が湧き上がってきました。

私も、この気持ち、知ってる。

正直、俳句ってちょっと古くさいな、と思っていました。国語の教科書に載っている句は、古池に蛙（かわず）が飛び込んだり、柿を食べたらお寺の鐘（かね）が鳴ったり、のんびりしているけれど、自分の生活からは遠い世界の話だなあ、と。でも、俳句甲子園で出会った同世代の作品は、進路の迷いや恋の葛藤（かっとう）、友だちとの時間や部活の楽しさなど、私がふだんの日々の中で大切に思っている感情が、ぎゅっと詰まっていました。

教科書の俳句とは違うシンクロ感。俳句って、スゴイかも！　たった十七音、きっと短いからこそ、出会った者の心を一瞬で射止（いと）めることができるのでしょうね。

あの夏、私は俳句という言葉の力に、まっすぐに射抜かれました。俳句なら私がいつも抱えている、もやもやした言葉にならない何かを、もしかしたら、そのまんま表現できるかもしれないと思ったのです。

レッツゴー、初めての句会

大会後に、優勝した選手にインタビューしました。私も俳句をやってみたいと相談すると、「じゃあ、句会においでよ」。なんでも、句会というのは、作った俳句を持ち寄って批評し合うのだそうです。少しハードルが高いな、とためらっていると、「じゃあ、まずはFAX句会に参加してみたら？」。

FAX句会はその名のとおり、FAXでやりとりする句会です。おうちで参加する句会といえば、今ならメール句会が主流ですが、当時はまだパソコンが普及していなかったのです。

私が参加したのは、中学生から大学生まで所属する、学生のための句会でした。ルールは次のとおりでした。

1 〈投句〉毎回、決められた季語のお題で作った俳句を送る
2 〈選句〉参加者の投句一覧が届くので、好きな句を選び評を送る
3 〈合評〉参加者の選評を加え、点数の順に並べた句会報が届く

まずは**俳句用のノート＝句帳を用意**して、発想を練ります。発表されたお題は、秋の季語「紅葉」。進路相談室の句のように、体験から俳句を作ってみたかったので、紅葉の記憶を探ります。自分の朝から晩までの生活の中に、季語を置いてみるのです。

そういえば最近、放送部で女子ボート部を取材したときに、艇庫の裏に桜の木があったなあ……たしかうっすら紅葉していたような……。ボート部の練習場所は、瀬戸内海です。練習の終わりにボートを片付けたあと、艇庫の前で整列し「海に向かって礼！」と掛け声をかけ、海へお辞儀をしていたのが印象的でした。海に向かって礼、桜の紅葉、艇庫……言葉を整理して、十七音にまとめます。

海に礼桜紅葉の艇庫から　　神野紗希

『星の地図』

今でも、この句を読むと、あの秋の瀬戸内海の夕日をありありと思い出します。俳句は、私の心をとらえた大切な場面を瞬間冷凍して、いつでもフレッシュによみがえらせることができるのです。部活の風景も、俳句になるんだなあ。ＦＡＸ句会に投句すると、そんなに点は入りませんでしたが、評をくれた人がいました。作った俳句に感想をもらったのは初めてで、こそばゆいけれど嬉しくて、部屋で何度も読み返しました。

何度か投句しているうち、どんどん楽しくなって、ついに勇気を出して、対面の句会へ参加することにしました。ＦＡＸ句会を運営していた、俳人の夏井いつきさんの句会です。俳人とは、俳句を作る人のこと。そんな肩書きがこの世の中にあるなんて、俳句をはじめるまでは知りませんでした。どきどきして扉をひらくと、大人たちに交じって、ＦＡＸ句会で名前を見たことのある他校の中学生や高校生も、句帳をめくって真剣な顔をしています。

句会は、次のような流れで進んでゆきます。

1 〈投句〉作った俳句を、短冊（細く切った紙）に書き提出する
2 〈清記〉投句をシャッフルして、作者を伏せ、一覧に清書する
3 〈選句〉清記を回覧し、好きな句を書き抜く
4 〈披講〉選んだ俳句を、各自順番に発表する
5 〈合評〉点数の入った句から順に俎上に載せ、自由に語り合う

驚いたのは、誰が作ったのか分からない状態で、十七音だけを見て俳句を選評するというシステムです。作者名を隠して評し合う句会は、完全実力主義です。句会では、大人も子どもも、三十年のベテランも昨日俳句をはじめた人も、年齢や性別や職業にかかわらず、みなが平等に扱われます。初心者だからといって甘やかしてはくれませんが、そのことがかえって、一創作者として尊重されているようで嬉しいのです。私も女子高生という窮屈な制服

を脱いで、一人の作者として座に加わりました。

「この句は季語が効いてますねえ」「少し甘いけど、発想は面白いんじゃないかな」。私の句について語られるときも、他の参加者はまだ作者を知らないから、ポーカーフェイスで聞きます。「さて、評は出そろいました。では、この句の作者はどなたでしょう？」。合評の最後に初めて、作者の名前が明かされます。名乗る瞬間のどきどきも、作った俳句を本音で語り合う喜びも、初めての経験でした。句会のライブ感、楽しい！　俳句では、作品を共有し合う句会という場が、言葉への興味を何倍にも増幅させてゆくのです。

日常がキラキラ。すべてが俳句になる！

俳句を作るようになってから、学校の行き帰りが楽しくなりました。住んでいたのは蜜柑山（みかんやま）のふもとです。片道四十分、自転車を一人で漕（こ）ぐ道のりは、夏は暑いし冬は寒いし大変だなあと思っていましたが、実はその四十分が、季語と出会うスペシャルタイムだったのです。

俳句をはじめるとき、母から歳時記をもらいました。**歳時記は、季語の辞典です。季節を表す言葉が春夏秋冬に分類され、解説のあとに過去の名句が例として載っています。**季語には、桜や水着、紅葉やおでんのようによく知っている身近なものもあれば、初めて出会う言葉もたくさんありました。

たとえば、春の季語である「風光る」もその一つでした。輝く日差しに、見えるはずのない風までまばゆく感じる、春の光量を言いとめた季語です。風光る、風光る、と唱えながら自転車を漕ぐと、町のビルもお堀の柳も、にぎやかに光りはじめます。「風」つながりでいくと、夏は「風死す」。ぱたりと風がやみ、息苦しい暑さです。ああ風よ、復活せよ、汗だらだらで入道雲を目指します。秋は「色なき風」。スマホの写真機能で、セピア色の加工を加えたイメージです。冬は「風冴ゆる」。大気が澄んでさえざえと吹き渡る風です。寒い寒いと耐える通学も〈風冴ゆる坂を一直線に漕げ〉と詠めばまるでヒーローのよう。

風一つとっても、季語の多様な表現を知れば、季節によってまったく違う表情が見えてきます。今、みなさんのまわりには、どんな風が吹いていますか？　色は？　匂いは？　きっとその風にも、名前があるはずです。

また別の日、歳時記の春のページに「竹の秋」という季語を見つけました。春なのに秋だなんて変だなあ、と思って解説を読むと、竹は春から夏にかけ黄葉・落葉するため、他の木々にとっての秋のようだから、春の竹のさまを「竹の秋」というのだそうです。そういえば、通学途中にいつも通り過ぎる竹やぶの竹が、春に黄ばんではらはらと散っていました。そうか、あれは「竹の秋」なのか。逆に、秋には新しい葉が茂りはじめるので「竹の春」。歳時記の言葉と現実の風景がつながるとき、世界の解像度がぐっと上がります。

ある俳人の先輩は、かつて「名もなき草」というフレーズを俳句に使ったとき、先生から「名もなき草はありません。あなたが知らないだけです」と指摘されたそうです。風も竹も、木々も草花も、みなそれぞれに名前をもって、生きているのです。

苦手な授業も、俳句を考える時間だと思えば、楽しいものです。教室の風景も、句材（くざい）＝俳句の材料になります。黒板、机の落書き、窓の青葉、先生のネクタイの柄、風の踊り場、クラスメートの半袖……想像をふくらませてはこっそりノートにメモします。さてさて、次は数学の授業。はじまりの合図に、クラス委員が号令をかけます。「起立、礼、着席」。あ、これ、俳句のリズムにはまりそう。メモしたそのとき、一陣の風が、開け放たれた窓の右から左へ、さあっと抜けてゆきました。

起立礼着席青葉風（あおばかぜ）過ぎた　　神野紗希　『星の地図』

「青葉風」とは、みずみずしい青葉を吹き渡る夏の風のこと。その日その瞬間に起きたことを順番に並べただけで、教室の風景をそっくり写し取ることもできるのです。歳時記を読んでいなかったら「青葉風」という言葉も出てこなかったでしょう。

歳時記の中には、世界が、いや宇宙が詰まっています。同じことの繰り返しだと思っていたグレーな日々も、季語を知るほどに「今日は何に出会えるだろう」とわくわくします。昨日は凍っていた水たまりが、今日は暖かくぬかるんでいるかもしれない。今日はつぼみだったすみれが、明日は咲いているかもしれない。春になれば、雪が解け水があふれ、星や月はうるみます。俳句という眼鏡をかければ、季語に彩られた世界が、きらきらと輝きはじめます。ありきたりの日常が、一度きりの瞬間として、カラフルに目の前で動き出すのです。

新しいカンケイ、「句友」との出会い

次の夏、私も俳句甲子園に選手として出てみたいと思いました。そこで、学校に張り紙をします。「俳句同好会、メンバー募集！　俳句甲子園に出てみませんか？」。集まったメンバーは、クラスも部活も個性も、てんでばらばらの五人でした。私たちをつなぐのは、まさに俳句だけ。ちょうど国語の武内先生が趣味で俳句を作っているという縁で、学校の外から、先生の知り合いの俳人のコーチを呼ぶことになりました。

週に一回、作った俳句を持ち寄り、小さな会議室で句会をします。ときには一緒に「吟行(ぎんこう)」へ行きました。吟行とは、俳句を作りに外へ出かけることです。季節の変化を直接知り、世界の手触(てざわ)りをたしかめることで、頭の中で考えただけでは出てこないフレッシュな俳句ができるのです。コーチの江崎紀和子先生は「しっかり、ものを見て作りましょう」と教えてくれました。

校長の机の上の夏帽子　岩田由美『春望』

校長先生の机の上に、夏帽子が置いてあります。ただそれだけの十七音ですが、校長先生は今どこにいるんだろう、明るい先生なんだろうなあ、朝、花壇に水をやりながら生徒におはようって声をかけてくれるんだろうなあ、などと自由にイメージが広がります。

ものがどこにあるか描写するだけで、読者の想像力を刺激する俳句ができるのです。

弟のひきだしにある蟬(せみ)の殻(から)、親友のノートに挟(はさ)むクローバー、先生の鞄(かばん)の底の天の川……。みなさんなら、「誰」の「どこ」にある「何」を詠みますか？

ランボー全集全一巻や青嵐（あおあらし）　　榮猿丸　『点滅』

ランボーはフランスの詩人です。十五歳から詩を書きはじめ、青春の懊悩（おうのう）や権威への反抗を鮮烈に書き残し、二十歳で筆を折るまでに、詩の世界に革命を巻き起こしました。全集は書いたものをすべて収録するので、ふつうは何巻かにわたりますが、ランボーの詩業は約五年間、ほんのわずかでしたから「全一巻」におさまります。青嵐は、夏の青葉を吹き渡る強い風。この句も一冊の本がそこにあると詠んだだけです。それでも「全一巻」「青嵐」という現実のものごとが、全速力で駆け抜けた詩人の青春を象徴しています。

句会で出会った他校の俳句仲間とも、メールで俳句を交換するようになりました。

「プリントを抱えひぐらしの廊下　　さき」
↓
「廊下から紙飛行機を西日へと　　ゆう」
↓
「スケートリンク飛行機雲を指でなぞる　　さき」
↓
「指切りのあと竜胆（りんどう）が揺れている　　ゆう」
……

送られてきた俳句から単語を抜き出し、新しい俳句を作って送り返します。連想を引き継ぎながら、即興（そっきょう）で俳句が生まれてゆく言葉のラリーは、とってもスリリングなのです。

俳句でつながる友だちを「句友（くゆう）」といいます。ふだん一緒に過ごす友だちも好きだけど、句友はまた特別です。一時間でも二時間でも、俳句の話が尽きません。熱中していることを共有できる仲間がいるって、嬉しいものです。とくに俳句は言葉だから、離れていても、メールやＦＡＸ、手紙やウェブ、いろいろな手段で気軽に共有できるのです。

俳句をはじめて気づいたのは、世界は家と学校だけじゃない、ということです。句会は、家族でも先生でもない、第三者の大人と出会う機会でもありました。世の中にはいろんな考えの人がいて、親や先生が絶対ではないのだということも知りました。たとえば、こんな俳句があります。

学校の試験過ぎたる昼寝哉(かな)　　正岡子規　『子規全集』

明治時代、俳句を今のかたちに革新した文豪・正岡子規は、試験が苦手で学校もよくサボっていました。試験の時間はとっくに過ぎたけど、いいさ、昼寝でもしていよう。昼寝が夏の季語です。暑いと体力が奪われるので、休息をとらなくてはいけません。家族や先生なら「試験を受けなさい！」「勉強は大事ですよ」と言うでしょう。

でも子規なら、そんな日もあるよね、と分かってくれるはず。ときにはいろんなものから自由になり、寝っ転がってぼーっと雲が流れてゆくのを見つめる時間も、人間には必要なのです。

俳句がひらく新しい人間関係は、俳句だけを基盤にするから、自由です。ときに息の詰まる生活の中で、句会は社会のルールの及ばない、ほっと深呼吸できる場所です。親や先生、学校の友だちとうまくいかなくたって、きっとあなたの言葉を受け止めてくれる人はいます。あるいは子規の一句のように、過去に詠まれた俳句の中に、分かり合える作品があるかもしれません。

歳時記の中に、私を見つける

高校二年のとき、失恋しました。野球部のエースに片思いをしていたのですが、夏休みが明けたら、彼はマネージャーの子と付き合っていたのです。告白もせず終わった恋。もやもやと行き場のない寂しさを抱え、私は句帳に十七音を書きつけました。

苦しいと言えず流星見つめたる、終了のゴング聞こえぬ花野道、星月夜弱い自分を認めます、壊れやすい僕らに団栗の小径……。俳句にしたからといって、つらい気持ちが消えるわけではないけれど、感情に出口が見つかったようで、少しだけ心が軽くなりました。

「寂しいと言い私を蝶にせよ」という句もできました。もし君が寂しいと言って私を求めてくれるなら、私はあなたの蝶となり、どこまでもついてゆくのに……。作ってみたはいいけれど、どうもしっくりきません。蝶は春の季語。はかなくも可憐に、花から花へ飛び移ります。でも、どう考えても、私は蝶ではないのです。

蝶の代わりになる二音の季語を探して、私は歳時記をめくりました。「寂しいと言い私を○○にせよ」、「虹」は美しすぎるし、「蜂」は強すぎるし、「霧」ではミステリアスだし……。そして見つけたのが、次の季語でした。

寂しいと言い私を蔦にせよ　神野紗希　『星の地図』

「蔦」は蔓性の植物で、木々でも石垣でも家の壁でもどんどん這い回り、相手を覆いつくします。とくに晩秋には真っ赤に紅葉するので、秋の季語に分類されています。絡みつく相手を求め続ける苦しみ。粘着質な熱い思い。ああ、私は蔦だ、と思いました。蔦という季語が、思いを十全に表現してくれると直感しました。このとき私は歳時記の中に、私を見つけたのです。

季語は、この世界の外部だけでなく、私の内部にも存在するものだと知りました。母と気持ちが通い合った気がした日には、胸にたんぽぽの黄色が灯るし、友人とプール帰りに飲んだサイダーの泡は、心を爽快に駆け抜けてゆきます。

いつの生か鯨でありし寂しかりし　正木ゆう子　『水晶体』

鯨は冬の季語です。前前前世、私がいつだったか、鯨として生きていたことがあった。そのころは、ほんとうに寂しかったなあ。残っているはずのない前世の記憶を思い返すというかたちで、広い海原をゆく鯨の寂しさに心を寄せています。

では、今、人間としての生は、寂しくないのでしょうか。いいえ、きっと、鯨には鯨の、人間には人間の寂しさがあり、それはどこか底のほうで、たしかにつながっているのです。私の中に蔦がさまよっていたように、作者の正木さんの中にもまた、鯨がたゆたっているのでしょう。

歳時記の季語は、単に季節を表すだけでなく、私たちの心のありようを象徴してくれる、命の並走者なのです。

言葉が記憶を呼び覚ます

高校三年、俳句甲子園の夏がやってきました。俳句甲子園は、八月十九日、俳句の日の前後の土日に開催されます。大会前日の夕刻、ウェルカムパーティーのキャンプ場に集まったのは、俳句が大好きな全国の高校生。焼きそばを食べながら各校の自己紹介を楽しんでいると、そろそろ兼題発表です。その年の準決勝・決勝のお題は……じゃじゃん、「白」と「青」です。翌日の朝までに、「白」「青」の一字を詠みこんだ俳句を提出しなければなりません。
ロッジの二段ベッドで、チームのみんなと俳句を考えます。まずは「白」の入った単語を探します。お題をクリアする言葉を決めて十七音の一部を埋め、そこから独自のイメージを広げてゆくのです。白墨、白衣、色白、白骨、白紙、白昼、白旗、白絵の具、季語なら、白玉、白露、白酒、白障子、月白……。「ねえねえ、子規さんにこんな俳句があるよ」。歳時記の例句の中から、チームメートが見つけてきました。

夏嵐机上の白紙飛び尽す　　正岡子規　　『子規句集』

夏嵐は、夏に吹く強い風のことです。青葉を吹き渡ってきた風が、勢いそのままに部屋の中へ吹きこんできて、机の上に積んであった白紙を、一瞬でぜんぶ巻き上げました。一陣の風が過ぎ去ったのちには、きらきらと舞い散る白紙と、夏の日の差す机だけが、ぽつんと残ります。新海誠監督の映画のワンシーンのように、青春のきらめきが感じられる風景です。白紙には、これから、どんな思い、どんな物語が描かれるはずだったのでしょう。

「白」には、未知という連想がはたらくのだなあ。「白紙」のイメージをふくらませ、絵を描くカンバスを思いつきました。うーん、まっさらの白紙もいいけれど、描かれている途中もまた、想像をかきたててくれそう！

句帳に「カンバスの余白」と書きつけたとき、ふと、続いて言葉が出てきました。

カンバスの余白八月十五日　　神野紗希　『星の地図』

ウェルカムパーティーのその日は八月十七日。かつて昭和天皇が第二次世界大戦の終結と日本軍の降伏を国民に告げた、終戦日、八月十五日の二日後でした。八月になると、テレビでは広島や長崎の平和記念式典を中継し、過去の記憶を映像で振り返り、平和への思いを新たにします。そのたび私は、小学生のときに祖父から聞いた話を思い出すのでした。

「じいちゃんが、紗希ちゃんくらいの小学生のときよ。戦争でな。竹やりで、えいっ、て戦う練習なんかさせられての。それが、あるとき、海の向こう側に、大きな雲が見えたんよ。きのこ雲じゃった。あれはたまげたわい」

松山の海の向こう側とは、広島です。瀬戸内海の対岸に落とされた原子爆弾のきのこ雲が、松山の祖父にも見えたというのです。なんと激しいエネルギーでしょう。あとにも先にも、祖父から戦争のことを聞いたのはその一度きりでした。もっと話をしておけばよかったと思いますが、そのときは、ふだん蜜柑を育てておだやかな祖父の口から、「戦争」や「きのこ雲」といったまがまがしい言葉が出てくることに緊張して、それ以上は聞けなかったのです。あとから祖母に聞いた話では、祖父は家を継ぐはずだった兄を戦争で亡くしたため、やりたかった仕事をあきらめ、家業の農家を継いだそうです。

私にとっての余白。そう考えたとき、祖父の戦争の話を、ふと思い出しました。カンバスの余白のように、私にとっての「八月十五日」にも、ついぞ埋められない余白があるのではないか、と。この句は「白」というお題が出なかったら、きっと作れなかったでしょう。また、俳句甲子園が終戦日直後でなかったら、私の連想もはたらかなかったかもしれません。

俳句を作る場面では、よく「兼題」といって、お題が出されます。季語の場合もあれば、「青」「白」のように漢字一字を詠みこみなさいとか、あるいは「失恋」「教室」といったテーマが出ることもあります。与えられた言葉と出会ったとき、私の中のさまざまな記憶がざわめきます。外部から来た言葉が、内部にひそむ記憶を呼び覚まし、偶然に、そして運命的に、思いもよらない俳句を生み出してゆくのです。

たとえば「蜜柑」という冬の季語を目にするたび、私は、故郷の山で家族みんなと蜜柑をもいだ風景を、ありありと思い出します。十時と三時はおやつの時間。青空の下、斜面に腰をおろし、持ってきたお菓子や採ったばかりの蜜柑を分け合います。お風呂にも余った傷物の蜜柑を浮かべていたので、毎日が柚子湯(ゆずゆ)ならぬ蜜柑風呂です。湯上がりの体はいつもほかほかでした。

みなさんなら「蜜柑」と聞いたとき、どんな記憶が浮かんでくるでしょう？「団栗」なら？「桜」なら？ 歳時記をめくるとき、未知の季語を見つけるわくわくとともに、なつかしい季語を通して、いつかの私とも出会えます。季語は私たちの記憶のスイッチを押し、忘れていた大切な時間を思い出させてくれるのです。

俳句甲子園の大会当日のことは、試合に集中していたからか、よく覚えていません。とにかく一生懸命、言葉をたぐりよせて、俳句に向き合ったことだけはたしかです。結果として、あの夏にカンバスの句が生まれたことを、今でもとても大切に思っています。

今を生きる私の言葉、息苦しさから自由になって

冬。受験生になり、友だちと遊ぶ時間も減りました。誰もいない放課後の教室に寄ると、黒板に誰かが書いた「Do your best」の文字がぽつんと白く光っています。クラスメートに向けて放たれた「自分のベストを尽くそう」

の言葉に、ふっと緊張がほどけ、前向きになります。もうすぐ、みんなに春が来るといいな。

黒板に Do your best ぼたん雪　　神野紗希『星の地図』

句帳は思い出を刻むノートです。一度きりしかない今を、俳句の言葉はそのまま保存してくれます。なにげない教室の風景、友だちとの会話、部活動のひとコマ、家族の思い出。句帳をひもとくと、あとになると忘れてしまうようなたわいのないあれこれが、しずかに、いきいきと、呼吸しています。

俳句に英語を使っていいのかって？　もちろんＯＫです。俳句に使っていけない言葉はありません。俳句というと、和服を着て筆と墨で短冊に一句したためる、かしこまった伝統的なイメージがあるかもしれません。でも、俳句はもともと、とても自由な詩なのです。

先に存在していた和歌や連歌(れんが)といった詩のスタイルが、主に美しい言葉や素材を選(よ)りわけて愛したのに対し、俳句のもととなった俳諧(はいかい)連歌は、もっと対象を広げ、今まで詩にはならないと除外されていた日常の言葉や外来語、身の回りの素材やちょっと品のない内容でもOKですよと、大らかに受け入れたところからスタートしました。

かたくるしいことは言わず、日常の言葉を交えてつづること。俳句の本質は、その自由の精神にあります。句会の場ではどんな人でもみな、一創作者として平等に扱われるのだとお話ししましたが、俳句は素材や言葉を選ばないという点でも、フラットで平等な詩なのです。

古墳から森のにおいやコカコーラ　越智友亮『新撰21』

仮想生物（ポケモンゴー）ばらまかれし街大西日　関根誠子『瑞瑞しきは』

コンビニのおでんが好きで星きれい　神野紗希『光まみれの蜂』

コカ・コーラだって、ポケモンゴーだって、コンビニのおでんだって、俳句になります。みなさんのまわりにも、にぎやかに句材があふれています。

私たちには、紙とペンがあります。言葉があります。もし、どこかで息苦しさを感じているなら、そこから自由になれる場所、十七音がひらくもう一つの扉をノックしてみましょう。きっと、世界はまぶしく光り輝いています。

葡萄に種わたしに紙とペンがある　　神野紗希『光まみれの蜂』

2
十七音、コトバの宇宙

「読む」前に　十七音の受け取り方

俳句には二つの「よむ」があります。作るという意味の「詠む」と、作品を鑑賞する「読む」です。実際に「詠む」に挑戦する前に、この2では、二つ目の「読む」を掘り下げます。

俳句の「読む」は、ふつうの文章を読むのとは少し違います。十七音の情報量はほんの少しなので、説明をたくさん述べることができません。「こんにちは宅急便のヤマトです」。日常生活だとこれだけで五七五を使い切ってしまいます。

そこで俳人は、ヒントとなる情報を、かたことのメモのように書き残します。読者は、記された言葉を手掛かりに、探偵になった気持ちで、想像をふくらませてゆくのです。

たとえば、次の句を見てみましょう。

先生も浴衣（ゆかた）になっている夜だ　　丸田洋渡　「第十九回俳句甲子園」

ここには「先生も浴衣になっている」「夜だ」という二つの情報しかありません。みなさんはどんな場面を連想しますか？

「先生も」だから、私や他の人も浴衣なのでしょう。いつもはスーツを着ている先生の浴衣姿は、新鮮で、なんだか違う人みたいです。先生も学校を離れれば、私たちと同じ一人の人間なのだと気づきます。「浴衣」は夏の季語（きご）です。お宮に屋台の出る、夏祭りでしょうか。近くの花火大会？　修学旅行先で宿泊する温泉旅館の夜を思っても楽しいかもしれません。規律に従う教室の空間とは別種の、夏の夜の特別で自由な雰囲気が、句の言葉のまわりにたっぷりと漂っています。

どうですか？　一つ一つの言葉をひもといてゆけば、たった十七音でも、こんなにゆたかな物語が引き出せるんですね。

きみとの恋終わりプールに泳ぎおり十メートル地点で
悲しみがくる　　小島なお　『サリンジャーは死んでしまった』

短歌は五七五七七、ぜんぶで三十一音あります。ですから「きみとの恋が終わって吹っ切れないままにプールで泳いでいる事実」と「十メートル泳いだところでワッと悲しみが襲ってきた思い」と、どちらも述べることが可能です。でも俳句は、事実と思い、両方は言えません。そこで俳句はどちらを選んだか。思いよりも事実を描くことを重視したのです。

さきほどの短歌の前半の五七五の部分だけ抜き出すと〈きみとの恋終わりプールに泳ぎおり〉です。夏の季語「プール」も入っていて、俳句によく似ていいます。この五七五、泳いでいるときの思いまでは書かれていませんが、やり場のない悲しみはじんわり伝わってきます。事実を書けばおのずと、その底に通う心情も想像できるものなのです。

目逸らさず雪野を歩み来て呉れる　　生駒大祐　『水界園丁』

恋しい人は、私のもとへ歩いて来ます。まっしろな汚れなき雪野を、私の目をまっすぐ見つめながら。相手が目を逸らさないと知っているのは、作者もまた、ずっとその目を見つめていたからです。句に述べてあるのは「目を逸らさずに、雪野を歩いて来てくれた」という事実のみですが、その余白には、募る恋しさやかすかな緊張など、高揚する心のふるえが感じられます。

俳句は、沈黙の詩型といわれます。十七音に語られなかった余白の部分に、ゆたかな思いや気分が抱きこまれているのです。作者がのみこんで、風景や出来事に託した思いを、読者がさまざまに想像して補うことで、句はいきいきと語りはじめます。俳句を読み解くためには、読者も積極的に、想像力をはたらかせることが大切です。

引き出しに飴玉(あめだま)・付箋(ふせん)・冬銀河(ふゆぎんが)

千倉由穂

『小熊座の俳句　三十周年記念合同句集』

引き出しの中に、三つのものが入っています。「飴玉」「付箋」「冬銀河」。なぜ作者はこの三つを選んだのでしょう?

飴玉は甘くてかわいいイメージです。付箋は本やノートに貼る文房具です。飴玉と付箋は、どちらもカラフルです。そして、冬銀河が季語。冷たく張り詰めた空気の中で、さえざえと輝く星々です。星は、飴玉の丸い光とも似ているでしょう。そして付箋の「ふ」が冬銀河の「ふ」を呼びます。関係なさそうなものたちも、一句の中に並べることで、互いに光り合うのです。

あるはずのない冬銀河が、引き出しに無限の宇宙を広げます。まるで、ドラえもんのタイムマシーンを格納(かくのう)している、のび太君の机の引き出しのよう。自分の部屋の引き出しに、飴玉や付箋と一緒に、小さな宇宙がひしめいたら……。寒い冬の寂しい夜だって、わくわくしませんか。

あるいはVR＝バーチャルリアリティのように、一句と向き合うこともできます。読者は俳句を読むとき、作者と同じ場面を疑似体験できるのです。

日のあたる石にさはればつめたさよ　正岡子規　『子規句集』

冬の荒涼とした風景の中、日のあたる石が一つ、転がっています。光っていて、あたたかそうだなあ。手を伸ばして触ると、見た目とは違って冷たい！　吹きすさぶ寒風に冷えたのでしょう。「つめたさ」が冬の季語です。見た目と感触のズレを、素直に詠みました。ある日あるとき子規の感じた風景と感触が、十七音のゴーグルを介し、私たちにもじんじんと伝わります。

「読む」前に知っておきたい俳句の受け止め方について、いくつかお話ししました。2では、テーマごとに俳句作品を紹介します。友だち、恋、家族など、十代の日々に身近なテーマから、自然や季節までを選びました。江戸時代の俳句から、みなさんと同世代の小中学生が詠んだ作品まで、とりどりです。ぜひ興味のあるテーマからめくってみてください。

どうか、あなたの心を射止める一句との出会いが、待っていますように。

ともだち——ともに過ごす青春の時間

初桜きょうこうえんでまっとるけん

阿見果凛
「NHK学園松山市俳句大会」

愛媛の俳句大会で出会った、小学生の作品です。桜が咲きはじめた春先、友だちと約束をしました。「今日、公園で待っとるけん」。やわらかい伊予弁のセリフがそのまま句になり、いきいきと今を生きる声が聞こえてきます。

友だちへ呼びかける言葉の親しさに、心がポッとあたたかくなる句です。

さくら、ひら　つながりのよわいぼくたち　福田若之

『自生地』

ひらりと舞い落ちる桜の花びらに、ふと、人間関係の希薄(きはく)な自分たちのあり方を思いました。現代においてことさらに「絆(きずな)」が強調されるのは、つながりが失われかけているからです。ひとかたまりに揺れていた桜の花も、散るときが来ればひとひらずつ風に飛ばされてゆくように、教室でおんなじ時を過ごす「ぼくたち」も、いつかはちりぢりになるのでしょうか。誰かと深くつながりたいけれど、踏みこんで傷つけ合うのも怖い、繊細(せんさい)に揺れる心を、やさしい平仮名(ひらがな)でそっと書きとめました。

夜のシャワー俺が捕つたら勝つてゐた　黒岩徳将

『天の川銀河発電所』

青春を賭ける部活動も、かけがえのない友人を作る場です。この句は野球部でしょう。夜、シャワーを浴びながら、昼間の試合を思い返します。九回裏、相手の打ったボールを俺がキャッチできていたら、試合は俺たちの勝ちだったのに、ヒットを許してしまったがために、逆転され負けてしまった……。責任感や無力感がないまぜとなり、悔やしい気持ちがこみ上げます。仲間たちもみんな、それぞれに「俺が○○だったら……」と悔やんでいるかもしれません。「俺」というやや荒っぽい一人称が、本音らしさを強めます。

行く我にとゞまる汝に秋二つ　正岡子規　『子規句集』

ここを去る私と、とどまる君と。二人、それぞれの秋、別々の運命を歩いてゆくのだなあ。明治二十八年の秋、俳人・正岡子規は親友の夏目漱石と、彼の下宿「愚陀佛庵」で五十二日間の同居生活を過ごします。俳句について文学について、たくさん語り合ったことでしょう。いよいよ帰京するタイミングで、子規が漱石へ送ったのがこの句です。同じ「秋一つ」を共有した時間は終わり、二つの人生がまた分かれてゆきます。違う道を歩みながら互いを思い合うその距離が、きっと家族でも恋人でもなく、友人の距離なのです。

恋バナ——うつろうキモチ、正直に

和歌では恋をテーマにした「恋歌」の伝統がありますが、俳句もまた、四季折々の季語を織り交ぜながら、さまざまな恋の場面を詠んできました。

手袋(てぶくろ)にキップの硬さ初恋です　　藤本とみ子　　『午後の風花』

手袋にキップを握りしめ、駅で初恋の相手を待っています。学校の先輩か、他校の生徒か……その人を見つめる遠い距離感は、まだ実らない片思いでしょう。てのひらに感じるキップの硬さが、緊張してこわばる私の恋心とシンクロします。「初恋です」の丁寧(ていねい)な差し出し方からも、初恋のただなかにいる一途(いちず)な思いが伝わります。

誰かを大切に思い、できるなら一緒にいたいと願う気持ちが「恋」です。

恋をすると、心臓がどきどきして、自然とその人を目で追ってしまいます。まるで自分が自分でなくなったかのように、ふわふわとして、頼りない心地にもなるのです。

恋文の起承転転さくらんぼ　　池田澄子　『空の庭』

正しくは「起承転結」ですが、着地が決まらなくて「転転」に。ラブレターを書くうち、気持ちが言葉を追い越して、どうやって締めくくればよいか分からなくなりました。たしかに「好きです」が本題だから、そのあとに何を続けていいのやら……。そもそも、理屈や結論がないから、恋なのです。そっと添えた夏の季語・さくらんぼは、かわいくてきらきらしています。それもまた恋ね、と肯定しているよう。

さて、次の句です。みなさんなら、（　）にどんな言葉を入れますか？

この恋は（　　　　）より永く

今、心燃やしている恋が、いったい、どのくらい長く続いてほしいと願っているのでしょう。

永遠に続いてほしいと願うならば「私の一生」「地球のマグマ」など、長い時間を感じさせるものがよさそうです。しかし、作者は正反対の、刹那的（せつなてき）なものを選びました。さて、ソフトクリーム？　流星群？

この恋は線香花火より永く　　矢野玲奈　『森を離れて』

答えは「線香花火」です。好きな人と線香花火をしながら、横顔を盗み見て、あと少し、せめてこの線香花火の玉が落ちるよりは長く、この恋が続いてほしいと祈っています。終わりが来るかもしれないと予感しながら、今この時をつなぎとめようとする、切ない恋心を正直に打ち明けました。

ゆず湯の柚子（ゆず）つついて恋を今している　　越智友亮　『新撰21』

柚子湯は、十二月、昼の時間がいちばん短くなる冬至に、寒さに打ち勝つパワーを養うため、お風呂に柚子を浮かべて入る行事です。ポカポカして、湯冷めしにくい体になります。湯舟に浸かると鼻先に寄ってくる柚子を、つんつんとつつきます。そのさわやかな香りに、好きな人を思い出しました。あの人は今、何をしているかな。「今恋をしている」ではなく「恋を今している」の臨場感ある語順が、高まる心のどきどきを表現しています。

雨がふる恋をうちあけようと思ふ　片山桃史　『片山桃史句集』

降る雨を見つめているうち、秘めていた恋心をやっぱり相手に伝えよう、と決意しました。告白は勇気がいりますが、ずっと思いを隠しているのもつらいものです。この句には季語がありません。季語を入れず普遍的な思いを詠む、無季俳句というスタイルもあります。恋もまた、季節に関係なく訪れるものです。雨がやんだら、君のところへ。無事に告白できたでしょうか、それとも。昭和十一年にこの句を詠んだ作者は、翌年に出征し、その後、三十一歳の若さで戦死しました。

失恋や御飯(ごはん)の奥にいなびかり　　高山れおな　『ウルトラ』

うまくいく恋もある一方、受け入れてもらえず失恋することも。ふられて帰った夜の食卓、涙をこらえて御飯を口に押しこんでも、味なんて分かりません。嚙(か)んでいるうち、喉(のど)の奥に、びりびりっと稲妻のような感覚が走ります。御飯の奥に稲光が潜んでいたの？　いいえ、心がびりびりと、悲しみを叫んでいるのです。失恋しても、泣きそうでも、まずは御飯をなんとか飲みこんで、次の恋へと力を養うために、今日はゆっくり眠りましょう。

●地球――十七音に広がる、雄大な世界

俳句はたった十七音の小さな器ですが、森羅万象(しんらばんしょう)のあらゆるものを詠むこともできます。ひとつぶの露に世界のすべてが映りこむように、十七音の俳句もまた、雄大な地球の風景をそっくり抱きこめるのです。

水の地球すこしはなれて春の月　　正木ゆう子　『静かな水』

表面の七割が水でおおわれている地球は「水の惑星（わくせい）」と呼ばれます。そんな「水の地球」から少し離れたところに、春の月が浮かんでいます。春の月は朧月（おぼろづき）、水気をふくみ滴（したた）るような月です。命を育む水のイメージが句を包みこみ、宇宙空間をゆたかに彩りました。人間はまだ月へすら自由に行き来できませんが、地球と月のはるかな距離も、広い宇宙の尺度なら「すこしはなれて」いる程度。二つの星の寄り添うぬくもりも、春ですね。

星飛ぶや錨（いかり）届かぬ海の底　　ドゥーグル・J・リンズィー　『出航』

流れ星のことを「星飛ぶ」といい、「錨」は船をとどめるために海底へ下ろすおもりのことです。作者は、海洋学者として深海生物を研究しながら、クラゲやイソギンチャクなど、海で出会った命たちを俳句に詠んできました。夜空の流星を仰ぎつつ、錨も届かぬほど深い海の底はどうなっているのだろうと、思いをはせているのでしょう。深海は、地球にわずか残された人類未踏(みとう)の地です。その未知の深海を旅するリンズィーさんは、はるか宇宙を旅する宇宙飛行士のよう。流れる星を見ていると、まるで深海をのぞきこんでいるように、深く深く、心が空へ吸われてゆきます。

無方無時無距離砂漠の夜が明けて　津田清子　『無方』

アフリカのナミブ砂漠を旅して作られた俳句です。砂漠は、日本の季語体系から遠く離れた場所です。方角も時間も距離もいっさいが無に帰する、砂漠という空間の途方もなさを、季語を使わず「無」を重ねて表現しました。力強い漢語が、迫力たっぷりです。夜が明けて、闇の世界に光が満ちてゆくさまは、「希望」という語を思い出させます。

小鳥来る三億年の地層かな　山口優夢　『残像』

第五回俳句甲子園で最優秀賞に選ばれた句です。寒い冬を暖かい日本で過ごそうと、北の国から渡ってきた小鳥たち。地層がむき出しの崖や岩場で、さえずり睦みます。三億年前の地層には、かつての珊瑚や昆虫の化石も眠っているかもしれません。古代の地層と、今を生きる小鳥の命と。眼前の実景から、太古より続く命の循環へ、ダイナミックに想像が飛び立ちます。

まくなぎよ地球は君をこぼさない　　池田澄子　『たましいの話』

夏の季語「まくなぎ」は、夕暮れどきの野道や河原などで、群れて人の顔にまとわりつく、小さな羽虫です。ふわふわと頼りない（少しうっとうしい）まくなぎも、私たち人間も、そのほかのすべての命たちも、取りこぼすことなくしっかりとふところに抱いて、今日も地球はまわっています。

●命――一生懸命、生きること

漫画『鬼滅の刃』（吾峠呼世晴・作、集英社）は、一度しかない命の尊さを描きます。主人公の先輩・煉獄杏寿郎は、強敵の鬼・猗窩座に、不死身に近い鬼となってさらに強くなりたくないかと誘われますが、「老いることも死ぬことも　人間という儚い生き物の美しさだ　老いるからこそ死ぬからこそ堪らなく愛おしく尊いのだ」と持論を述べ、提案をはねのけました。すべての命は、いつかは失われてしまう有限のものだからこそ、生きている今この瞬間が尊いのです。

蟻よバラを登りつめても陽が遠い　　篠原鳳作『篠原鳳作全句文集』

必死にバラをのぼる蟻の目になり、はるかな太陽を仰ぎます。小さな蟻と巨きな太陽。視界をまぶしく埋めつくす光に、世界の広さを思います。

おおかみに蛍が一つ付いていた　　金子兜太『東国抄』

古代の森の闇を背負い、おおかみが一頭、堂々と立っています。その体には蛍が一つくっついて、呼吸するように明滅していました。日本では、おおかみはすでに絶滅したといわれています。このおおかみは、幻の気配をまといながら、俳句の中では蛍とともに、永遠に生き続けるでしょう。

蜘蛛に生れ網をかけねばならぬかな　　高浜虚子　『五百句』

粘着する糸で巣を作り、虫を生け捕りにする蜘蛛の所業は、残酷に映ります。でも蜘蛛からすれば、生きるためにそうせざるを得ないだけ。蟻に生まれ、サメに生まれ、人間に生まれ……。たとえば蜘蛛の立場になることで、どんな手段でも生きてゆく命のしぶとさ、ひたむきさを言いとめました。

水温む鯨が海を選んだ日　　土肥あき子　『鯨が海を選んだ日』

生き物たちは海から上陸し、進化を遂げてきましたが、鯨は陸上からふたたび海へ戻ったと考えられています。鯨の祖先の化石には、陸を歩いていた証拠として、小さな蹄があるのだとか。鯨が海で生きることを選んだのは、きっと今日のように、春になり水が温んで、日差しのやさしい日だったことでしょう。陸を選んだ人間もまた、新しい春風の中を歩いてゆきます。

渡り鳥みるみるわれの小さくなり　上田五千石　『田園』

「みるみる」渡り鳥の視点になり、今ここにいるはずの「われ」はどんどん小さくなります。人間はかくもちっぽけな生き物であることよ。その事実は寂しくもありますが、小さくなればそのぶん、私が抱える悩みや苦しみも小さくなるから、どこか軽やかな読後感も漂います。俳句は季語があるがゆえに、「私」や「人間」を離れ、相対的に世界を見つめられるのです。

秋風に歩行て逃げる蛍哉　小林一茶　『新訂　一茶俳句集』

蛍といえば夏の夜ですが、一茶が見つけたのは季節外れの秋の蛍です。ひんやりと吹く秋風を、もう飛ぶこともできず歩いて逃げる姿は、衰えゆく命の哀れを体現しています。それでも必死な蛍に、生きる底力を見ました。歳時記には、秋の蛍や枯蟷螂、冬の蜂や凍蝶など、季節外れにまだ生きている命を指す季語が、多く立項されています。俳句は、懸命に生きるものたちを、じっと見つめてきた詩なのです。

寂しさ――そっと孤独によりそう言葉

俳句は、喜怒哀楽（きどあいらく）、どんな気持ちも受け止めてくれます。なかでも寂しいときにはいっとう、私たちの心に寄り添ってくれる詩でもあります。

罌粟（けし）ひらく髪の先まで寂しきとき　橋本多佳子

『橋本多佳子全句集』

寂しさは、どこで感じるでしょう。涙を流す瞳？　傷つく心？　作者は体のすみずみ、指の先、つまさき、「髪の先まで」、じんじんと寂しさが満ちていると表現しました。コップの水がぎりぎりの表面張力を保つように、少しでもつついたら、寂しさがこぼれてしまいそう。罌粟は、夏の初めに、赤や紫（むらさき）など、あざやかな花を咲かせます。私の寂しさが、一輪の罌粟となって花ひらくなら、心は少しだけ、明るいほうを向けるでしょうか。

家持たぬリカちゃん人形ひなたぼこ　岡田由季　『犬の眉』

お人形遊びの「リカちゃん」は、ドレスや靴など、付属品もたくさん売られています。友だちのお人形は家や車があり、いい暮らしをして楽しそう。でも私は、リカちゃん人形のほかには何も買ってもらえません。日向ぼこは、冬の日差しを浴びてあたたまることです。お茶を飲んでおしゃべりをして、みんながのんびりと楽しい時間を過ごす場面だからこそ、日だまりにぽつんと座っているだけの私とリカちゃんの寂しさが、より濃くなるのです。

咳をしても一人　尾崎放哉　『尾崎放哉句集』

「せきを／しても／ひとり」。俳句はふつう五七五ですが、この句のリズムは三三三。五七五にとらわれないリズム（韻律）で詠まれた俳句を「自由律俳句」といいます。風邪をひいてゴホンと咳をしても、ただその音が寒い部屋にひびくばかり。誰も「大丈夫？」と心配してはくれません。咳をきっかけに、一人でいる孤独を再認識しました。つぶやきのように短い、たった九音の韻律も、ぽっかりと広がる寂しさを伝えます。

泣き止めばいつもの葡萄(ぶどう)ではないか　　古勝敦子「第二十二回俳句甲子園」

悲しくて泣きじゃくったあと、はっと我に返れば、何の変哲もない葡萄が一房、卓上に置かれていました。なんだ、いつもの葡萄じゃないか。いつもの生活、いつもの私。ときにはワッと泣いて寂しさを逃がしながら、日々は続くのでしょう。涙にうるんだ視界に、葡萄がみずみずしく光ります。俳句甲子園の敗者復活戦で、多くの人の心をつかんだ一句です。

大の字に寝て涼しさよ淋(さみ)しさよ　　小林一茶『新訂　一茶俳句集』

気候的に涼しい季節は秋ですが、「涼し」は夏の季語です。暑い中の一抹(いちまつ)の涼を、昔の人は夏らしさとして味わいました。歳時記の季語は、単に科学的な分類ではなく人の心が季節をどうとらえるかを指標にしてきました。季語は、私たちが体験し、心で受け止めることで、命が吹きこまれるのです。

ごろんと大の字に寝っころがれば、気持ちのいい風。ああ涼しいなあ、淋しいなあ。涼しさを感じたあとに襲ってくる、ぽつんと一人でいる淋しさ。夏のリビングで、家族の帰りを待ってごろごろ留守番しているときって、こんな感じかもしれません。「涼しさ」と「淋しさ」を並べたことで、二つの異質な感情にも共通点が見えてきます。人との距離が近いと「暑苦しい」状態です。逆に「涼しい」のは、人と適度に隔たっているからです。

人は、拭いようのない淋しさを抱えながら、それでも生きてゆくのです。

家族——不器用に、いっしょに暮らす

十代のみなさんにとって、ともに暮らす家族との時間は、生活の多くを占めます。それゆえに、支えにもなり、悩みにもつながりやすいものです。

母の愚痴黙って聞くや水蜜桃
夏の雨タオルに押しこめる弱音
黒葡萄父にははいとしか言えず

千田洋平
『17音の青春 2020』

三句セットで応募する高校生の大会「神奈川大学全国高校生俳句大賞」で、第二十二回最優秀賞に選ばれた作品です。母の愚痴を受け止め、父の意見にうなずくことしかできず、自分の弱音はタオルに顔をうずめ、誰にも聞こえないようにこぼします。デリケートな水蜜桃には母の心を大切にしたい気持

ちが、激しく降る夏の雨には抑えきれない本音が、沈思をうながす黒葡萄には父との複雑な関係が、それぞれに象徴されています。季語が心の陰影をくっきりさせ、一言では語れない家族への思いを差し出しました。

俳句は基本的に一句単位ですが、この三句のように、いくつかの句をまとめる「連作」も、一つのテーマを表現するのに有効な方法です。

西瓜食ふまだ机なき兄妹　小川軽舟　『手帖』

まだ机が必要ないのは、小学校に入る前の幼い兄と妹でしょう。食卓か、縁側か、二人そろって西瓜を食べます。いつか自分の机を得たら、兄も妹もそれぞれの世界をもち、互いに距離も生まれるもの。屈託なく時間を共有できた幼いころは、なつかしく、二度と戻らない輝きに包まれています。

神の留守母子家庭ですけど何か　永瀬十悟　『三日月湖』

「神の留守」とは、陰暦十月・神無月の別名です。全国の八百万の神様たちが、みな出雲大社(いずもたいしゃ)に集まるので、この時期は神様が留守だと考えたのです。助けてくれる神様はいないかもしれない。うちは母子家庭で、父さんはいない。ですけど、何か？　はね返す力強さに、母と支え合い生きてきた、たくましさがほとばしります。

母と子のみで生活する母子家庭は、全国に約百二十三万世帯あります（厚労省「平成二十八年度 全国ひとり親世帯等調査」）。祖父母と住む人、父子家庭なども加えると、もっとたくさん。母子家庭だから、父子家庭だからと型にはめ、幸せ・不幸せを決めることはできません。家族のかたちはさまざまです。その多様性に、社会がもっと寛容になることを願います。

祖母にまたサルビアの名を教へけり　　徳丸琴乃
「第二十二回俳句甲子園」

認知症の祖母は、いろいろなことを忘れ、同じ質問を繰り返します。「あの花、なんていう名前だったかねえ」「サルビアだよ」。サルビアは花壇(かだん)によく咲いている身近な花で、あざやかな赤色も印象的です。だからこそ、その名を忘れた喪失感が深まるのでしょう。すでに聞かれたことを、何度も繰り返し答えるのは、根気のいることです。もしかしたら、私の名前も、すでに忘れているかもしれません。それでも丁寧に祖母との時間をつむぐ、切なくいとしい日常のひとコマが写し取られています。

家族とは濡れし水着の一緒くた　　小池康生　『旧の渚』

家族を定義するならば、濡れた水着を一緒くたに持ち帰るような関係のことだ……。具体的な例で、ユニークにとらえました。プールや海で遊んだ時間の密度、脱いだ水着をまとめて詰めこむ親しさ、まさに家族の距離感です。その夜はみな、くたくたになって同じ屋根の下、ぐっすり眠るのでしょう。

みなさんなら「家族」をどう定義しますか？　家族を実感する具体的な場面を思い描けば、きっとそれが、あなたのオリジナルの俳句になります。

生きる――見つけた、僕の生き方

十代になると、生きることの意味や人生の価値について考えはじめる人も多いと思います。人生は、ときにつらく悲しくもあるのだと知る時期でもあります。俳人も十七音の中でさまざまに、生きる喜びや悲しみを詠み、自分の生き方を問い直してきました。

口開けて叫ばずシャワー浴びてをり　　五島高資　『雷光』

一日を終えた夜、シャワーを浴びて今日の汗を洗い流しながら、言葉にならない思いがこみあげてきます。口を開け、叫び声をあげる一歩手前で、引き裂かれそうになりながら、ぐっとこらえて……。ひりひりと今を生きる感覚が体の奥にくすぶります。

真ん中の栗の平たさ生きづらさ　　葛城蓮士　『少年レンズ』

栗のとげとげのイガの中には、ふつう、ぎっしりと三つの実が入っています。取り出すとたいてい、真ん中の栗は、両側の栗に押されて平べったいかたちに。人間の世界にも、真ん中の栗のように板挟みになってぎゅうぎゅう押される立場って、ありますよね。栗よ、お前もか、と感情移入して、世の生きづらさを分かち合います。

でもだってどうせカトレアにはなれない

田邉恭子

「第十五回鬼貫青春俳句大賞」

二〇一九年に鬼貫（おにつら）青春俳句大賞を受賞した三十句のうちの一句です。カト

レアは冬に温室栽培される蘭の仲間で、紫や白の美しい花を咲かせます。私はカトレアのようにきれいにはなれない……。あきらめと悲しみがないまぜになって、つぶやきがこぼれました。「でも」「だって」「どうせ」と言い訳する口ぶりに、もしカトレアになれるならなりたいと願う、押し殺した憧れも見え隠れします。

ラムネから噴き出している　時間、とか

佐藤廉
「むじな　2017」

友だちとわいわい遊んでいるとき、なんか今、青春っぽいな、生きてるって感じがするなと思うとき、ないですか？　あとから振り返ったら、こんなたわいもない時間をきっと思い出すんだろうな、と遠まなざしに人生を俯瞰します。作者は、ラムネから噴き出す炭酸のしぶきを、ほとばしる青春の時間そのものだとみなしました。わっと噴き出したら二度とは戻らないきらめきは、時間もまた過ぎ去り続けてゆくのだと、この世の真理を悟らせます。

柿喰ヒの俳句好みしと伝ふべし　　正岡子規　『子規全集』

明治という新しい時代を生きた子規は、二十二歳で不治の病といわれた結核と診断されてから、文学の道に没頭(ぼっとう)します。三十四歳でこの世を去るまでに、古い時代から引き継がれてきた俳句や短歌を生まれ変わらせるため、作品や評論をたくさん書きました。子規の遺(のこ)した俳句はなんと二万四千句にのぼります。また、子規は食べることが大好きで、ことに柿が好物でした。柿は日常的で詩にならないと見捨てられ、昔の和歌や漢詩にも詠まれなかった素材でしたから、自分らしさを表現するのにぴったりだと思ったのでしょう。

この句には「我死にし後は」と前書きがあります。もし自分が死んだら、柿と俳句が大好きな人だったと伝えてくれ……。こんなふうに、自分の好きなもの、愛するものをはっきりとつかむことができたなら、困難にあっても、きっと子規のように前向きに生きることができるのでしょう。

鈍行は僕の生き方かぶと虫

水野結雅『鈍行』

僕は、ちょっと不器用で、何をするにも時間がかかるけど、それって悪いことなのかな？　ヒーローみたいに強くてかっこいいかぶと虫だって、実は歩くのが遅いのです。自分とかぶと虫にも、共通点があると気づきました。新幹線や特急じゃなくても、ゆっくり鈍行で、一歩一歩進んでゆくのが、僕の生き方なんだ！　当時小学六年生だった作者は、俳句を通して自分の生き方をとらえ直し、前向きに肯定しました。人と違っても、自分はこれだと思える道を、見つけたのです。

アイドル——憧れのあの子を見つめて

画面の中で歌って踊る、イチ推しの彼女そして彼。クラスの中で輝く、憧れのあの子。みんなの視線を集めるアイドルを詠んだ俳句もあるんです。

アイドルに林檎を齧る仕事かな　野口る理『しやりり』

カメラに向かって、林檎をかじるポーズをとります。はい、オッケー！声がひびけば、お仕事終了。林檎をかじるというたわいのない動作も、アイドルにかかれば「仕事」になります。いや、そもそも、アイドルの活動を「仕事」ととらえるのがドライですね。それでも、林檎をかじるその笑顔は、きっと人の心をひきつける輝きをまとっているのでしょう。

かりそめに衣たるモデルの夜食かな　日野草城『昨日の花』

こちらも撮影現場を詠みました。夜まで続く撮影の合間、モデルさんが薄着にさっとローブを羽織って、小腹を落ち着かせるためサンドイッチなどをつまみます。写真には写らないリアルな姿も、スタイリッシュですね。モデルになれた者だけが体験できる世界を、のぞき見させてくれる一句です。

凍星（いてぼし）やスクールカーストの女王

羽藤れいな

愛媛新聞「青嵐俳談」

スクールカーストとは、学校のクラスなどでおのずと形成される序列のことです。人気者たちのグループから目立たないグループまで、クラス内になんとなくカースト＝階層を感じること、ありませんか？　中にはクラスの女王に君臨（くんりん）する、華やかな女子もいるでしょう。もしかしたら、冬の凍てつく空に鋭く輝く星のように、他の子に厳しくあたる冷酷（れいこく）さをもっているかもしれません。そして、スクールカーストが恐ろしいのは、その序列が入れ替わることです。かつて女王だったあの子が、ある日突然、みんなから無視されてしまうなんてことも。傷つけ合ってしまう子どもの世界の残酷さを、凍星がさえざえと象徴しています。

アイドルに目がいく一方、思春期は他人の視線が気になる時期でもあります。自分は自分。頭では分かっていても、ついつい人の評価が気になって、思うように行動できない。心あたり、ありませんか？

草の実や女子とふつうに話せない　越智友亮　『新撰21』

秋に雑草がつける実を総称して「草の実」といいます。草の実みたいに地味な僕だけど、あの子に話しかけてもいいのかな？　どんな顔して何の話をすればいいんだろう？　女子の反応が気になり、男友だちと話すみたいに「ふつうに」できません。でも、それがきっと、思春期の「ふつう」なのです。話しかければ、案外「ふつうに」言葉が返ってくるのかも。

私より彼女が綺麗糸みみず　池田澄子　『空の庭』

私と彼女の容姿を比べて、彼女のほうがきれいだと、がっかりしています。糸みみずは、近所の溝に発生し、熱帯魚などの餌になる、赤くて細長いみみずです。私はしょせん糸みみずよ、と卑下しているのかもしれません。あるいは、そんなふうに誰かと比べてしまう自分の心こそが、糸みみずのように小さくて醜いと客観視しているのかも。つい短所ばかりが目につきますが、ときには自分の長所も褒めてやりたいものです。

性――やっかいで不自由なモヤモヤ

幼いころは、性別など意識せず自由に挑戦できたあれこれも、いつからか、女の子だから、男の子だからと枠にはめられる機会が増えてきます。性にまつわる悩みは、自分の体と心とつながる重要事項でありながら、なかなか人に打ち明けられない、やっかいな問題です。

「ブラジャー買おかな」「ほんまに買えよ」かにキムチ

黒岩徳将『天の川銀河発電所』

ふだんブラジャーに縁のない、おそらく男子同士の悪ノリの会話を、そのままカギカッコつきで俳句に引き入れました。年頃の男子にとってブラジャーは神秘ですが、売り場へ行けば(一応は)誰でも買える商品でもあります。下五に置かれた「かにキムチ」の無意味なとぼけっぷりが、欲望をひょいっと笑いに変えてくれます。

ふところに乳房(ちぶさ)ある憂(う)さ梅雨ながき　　桂信子　『女身』

胸のあたりに乳房があることの、なんとうっとうしくもやもやすることよ。即物的に乳房が邪魔なだけでなく、女として生きる面倒くささも「憂さ」なのでしょう。うっとうしい梅雨が長く続けば、倦怠感(けんたいかん)は増幅(ぞうふく)してゆきます。欲望の対象として憧れられやすい乳房ですが、当の女からすれば、じろじろ見られることの「憂さ」も深刻なのです。

男根(だんこん)や街の陰部の月ひとつ　　金子兜太　『暗緑地誌』

もし月が「街の陰部」なら、月を仰ぐことも、ひそやかな秘密の行為なのかも。人間に男根があるように、街にも月という陰部がある……。夜空にしらじらと浮かぶ月が、男根という存在の神秘性を強く引き出しました。性器とは見せびらかすものではないけれど、恥じるべき汚いものでもないのです。

名の自由性の自由や水温む　若狭昭宏

愛媛新聞「青嵐俳談」

生まれたときに与えられた名前も性別も、必ずしも絶対のものではありません。理由があれば、戸籍の名前を変更することもできます。生まれもった体の性と心の性が違う性自認や、どんな性別の人を好きになるかという性的指向の多様性についても、少しずつではありますが、世の中の理解が進んでいます。自分の心を押し殺さなくとも、自由に生きられる社会になったら。いつか厳しい冬も過ぎ、水もあたたかく輝く春が来るように、一人一人が自分らしくいられる場所を、どうか見つけられますように。

世の中——今いる場所から社会を考える

俳句もまた、生きている私たちから生まれる言葉ですから、この社会と無縁ではいられません。戦争、基地、難民、貧困など、さまざまな社会問題を映します。

人類に空爆のある雑煮かな　関悦史

『六十億本の回転する曲がつた棒』

二〇〇九年のお正月、イスラエル軍によるパレスチナのガザ地区空爆のニュースにふれて作られた句です。私たち人類は、空爆という戦争の方法を手に入れてしまった、なんと残酷なことよ……。テレビに映る空爆映像を見ながら、平和な日本で正月を迎え、お雑煮を食べています。ちぐはぐに取り合わせられた「雑煮」という穏やかな季語が、戦争をどうしても他人事(ひとごと)にとらえてしまう現代日本との距離感を、皮肉たっぷりに演出しました。具をごった煮にした雑煮は、混沌(こんとん)の世界を象徴しているようでもあります。

霧深き森へ隠そうシリアの子　宇多喜代子

『森へ』

内戦の続くシリアで、命の危機に脅かされている子どもたちへ、どうか無事でいてほしいと思いを寄せました。戦火を逃れるシリアの子たちを、愚かな大人たちに見つからないように、深く霧の立ちこめる森へ隠すことができたなら。すべての子どもに等しく希望が与えられる世界になるまで、あとどのくらい待てばよいのでしょうか。

難民のキャンプに轍天の川　　中矢温「第十九回俳句甲子園」

祖国を追われた人のため、仮設された難民キャンプは、今も世界各地に存在します。大地には物資を運ぶ車の轍が、空にはきらめく天の川が、はるか先まで伸びています。不安な夜、難民となった人々は、天の川を見上げ、何を祈るでしょう。世界とつながる天の川を通して、日本にいる私も、思いをはせます。

どれにも日本が正しくて夕刊がばたばたたたまれてゆく
栗林一石路『栗林一石路句集』

かつて日本も、戦争へ突き進んでしまった時代がありました。その当時、昭和十年に詠まれた自由律俳句です。どこの新聞社の夕刊にも、日本は正しい、素晴らしいと賛美する記事しか載っていません。でも、本当に？　情報の真偽を確かめるすべもなく、人々は日本の勝利を信じ続けました。結局、正しい情報を軽視した日本は、三百万人以上の犠牲者を出し、敗戦を迎えたのです。メディアの報道は、政治と国民をつなぐ重要な役割を担っています。今の時代の新聞は、情報を平等に発信しているでしょうか。批判を封殺(ふうさつ)してはいないでしょうか。情報を受け取る私たち国民にも、真実を見極める意志が求められています。

戦争が廊下の奥に立つてゐた

渡邊白泉(わたなべはくせん)　『渡邊白泉全句集』

廊下の奥の暗がりに誰かが立っていたら、ぞっとしますよね。作者はその恐怖を、戦争のしのびよる恐怖に重ねました。戦争は、気がつけば家の中にまで入りこみ、私たちを逃すまいと暗がりから見つめています。

第二次世界大戦がはじまった昭和十四年の句です。翌年、白泉は国家に反逆する危険人物として特高警察に連行され、勾留・執筆禁止を言い渡されました。爆弾を作りテロを企てたわけでもない、ただ俳句を詠んだだけなのに。ほかにも数十人にのぼる俳人が、戦争を批判した罪などで警察につかまり、言論弾圧に遭いました(「新興俳句弾圧事件」と呼ばれています)。平和な今、自由にものを書き発信できることが、当時はどれだけ特別だったでしょう。自由とは、空気のようなものです。なくなってはじめて、それがなければ生きられないことに気づくのです。

双子なら同じ死顔桃の花　　照井翠　『龍宮』

釜石市で東日本大震災を経験した作者が、被災直後に発表した句です。桃はお雛様の節句の花ですから、幼い姉妹でしょうか。同じ死に顔に見える二人にも、生前にはそれぞれに人格があり、違う表情を見せていたはずです。一人一人の個別の生を奪った災害を前にして、やり場のない悲しみが深くにじみます。

月凍る辺野古の土砂にジュゴンの死

岡田真巳

愛媛新聞「青嵐俳談」

美しい沖縄・辺野古の海。海域には絶滅危惧種のジュゴンも生息していましたが、アメリカ軍基地の移設工事が進む中、二〇一九年には一頭の死骸が発見されました。冬とはいえ暖かい沖縄の月を「凍る」とまで厳しく感じるのは、ジュゴンの死を重たく受け止めるがゆえです。当時、高校生だった作者が、思いをこめて社会へ投げかけた一句です。

こうした社会問題には、安易に答えが出せません。ここで取り上げた俳句にも、解決策が示されているわけではありません。俳句は、問いを投げかけます。世界はこれでいいのか、どうすべきなのか、あなたはどう生きたいか。答えを出すのは、受け取った読者の心なのです。

学校――必ず終わる日常、だから輝く

教室、時間割、制服、音楽室、グラウンド、行事……。学校の風景は、格好の句材(くざい)です。

制服の下に水着をもう着てゐる　　山下つばさ　『俳コレ』

一時間目が体育のプールの授業の朝は、いちいち更衣室で着替えるのが面倒です。なので、家を出る前から水着を着て、その上から制服を着て登校しました。ごわごわした着心地、そわそわした気分。私も体験したことある！ついうなずきたくなる生活の知恵を、臨場感たっぷりに詠みました。

理科室の劇薬に夏来たりけり　　佐藤郁良　『海図』

理科室は、教室とは異なる気配に満ちていて、少し怖くもある場所です。ほの暗い棚には、ビーカーやフラスコ、薬品類なども並びます。鍵がかかっているとはいえ、手を伸ばせば届く距離に劇薬のあるはらはらした気持ちが、

夏の近づいてくるどきどきと重なって、何かが起こりそうな予感が高まります。

世の隅に保健室あり西日満つ　　高野ムツオ　『蟲の王』

教室からの避難場所として、保健室があります。そこは世界の隅っこであるがゆえに、人の目を気にせず、疲れた体と心を休められる場所です。今日も一日が終わり、保健室にも西日が満ちてきました。西日は「世の隅」にも分け隔てなく、きちんとその光を届けます。明日はどんな子どもたちが、保健室へやって来るでしょう。

顧問からアロハの柄の葉書くる　　西野結子　「センバツ！　全国高校生即吟俳句選手権」

夏休み、部活の顧問から暑中見舞いが届いたのでしょう。アロハの柄なのがとぼけていて楽しいですね。ふだんからどこか憎めない、自由な風を吹きこんでくれる先生なのだと分かります。二〇二〇年開催の即吟俳句選手権で決勝戦を勝ち抜き、優勝した一句です。

卒業の空のうつれるピアノかな　　井上弘美　『あをぞら』

卒業式当日。磨かれたグランドピアノの黒いつやつやの面に、青空が映りこんでいます。よく晴れて、幸先のよい旅立ちの日となりました。これから、このピアノの伴奏で、卒業歌を歌います。未来への希望を抱いて、さあ。

夕焼やいつか母校となる校舎　　大池莉奈　「第十六回俳句甲子園」

部活帰りでしょうか、ふと下校の足を止め振り返ると、校舎は夕焼けに包まれ、なんだか遠く見えました。今は毎日通っている学校も、いつかは卒業して「母校」と呼ぶときが来ます。学校で過ごす日常は、いつか必ず終わります。だからこそ、たわいのない風景や出来事が、かけがえのない瞬間として輝くのです。

● 季節——めぐる日々、感じるこころ

私たちは、めぐりゆく季節の、大らかな運行に包まれて生きています。最後に、生活の中で季節を察知した俳句を、春夏秋冬の順に紹介します。

春はすぐそこだけどパスワードが違う　福田若之『自生地』

春はもうすぐそこに来ているはずなのに、パスワードが違うから、ログインできません。実際、立春の前後は、春と言いながらも、まだ風も冷たく日差しも硬いころです。春が待ち遠しい気持ちと、自分が今感じている社会からの疎外感とを、ストレートに重ねました。

こゝにふきのとうがふたつ　種田山頭火(たねださんとうか)『山頭火俳句集』

人生、悲しいことも、つらいことも、いろいろあります。でも、今、私の足もとに、ふきのとうが二つ、顔をのぞかせています。そのことが、ただ嬉(うれ)

しい。ふきのとうは、雪を割って出てくる、春の訪れを告げる植物です。二つなのも、寄り添ってあたたかいですね。たしかに今年も春が来たのです。

わが夏帽どこまで転べども故郷　　寺山修司（てらやましゅうじ）　『花粉航海』

麦わら帽子が風に飛ばされ、ころころと転がります。その行く先にはどこまでも、なつかしい故郷の風景。もしかしたら、転がる帽子も私も故郷を出ていけない、閉塞感（へいそくかん）も含まれているのかもしれません。それでも、広がる夏の青空が、目の前に横たわる未来の、無限の可能性を信じさせてくれます。

花火などなかつたやうな夜空かな　　抜井諒一　『真青』

さっきまで色とりどりの花火でにぎわっていた夜空も、花火大会が終わった今は、もとどおり、まるで何もなかったかのよう。それでも、花火の前と後では、きっと何かが決定的に違うはずです。記憶の痕跡（こんせき）を重ねながら、夜空はゆたかに表情を深めてゆきます。

いつの間にがらりと涼しチョコレート　星野立子（ほしのたつこ）『立子句集』

夢中で夏を駆け抜けるうち、いつの間にか涼しい風の吹く秋が近づいていました。暑い夏にはどろっと溶けたチョコレートの表面も、今はひんやりと固まり、板チョコならパキッといい音を立てて割れます。季節は、身の回りにあるもの、たとえばチョコレートからも、つぶさに感じられるのです。

見えさうな金木犀（きんもくせい）の香なりけり　津川絵理子『和音』

空も水も澄みわたる秋、ある時期いっせいに、町中に金木犀が香りはじめます。その香りは濃く甘く、まるで目に見えそうなほど。金木犀の生み出す金色の香りの波。嗅覚を視覚で言いなした、ユニークな表現です。

寒いなあコロッケパンのキャベツの力　小川楓子『天の川銀河発電所』

「寒いなあ」とこぼれた一言。もう冬なのです。こんなときは、体力、体力。コロッケパンをかじり、寒さに対抗すべく、力をたくわえます。そういえば、コロッケパンって、一緒に挟んであるキャベツがしゃきしゃきしておいしいんだよなあ……、ぼーっと冬空を仰ぎながら考えます。草も木も枯れて寂しい風景だからこそ、キャベツの緑の新鮮さに、命のパワーを感じているのかもしれません。

お雑煮のお餅ぬーんと伸ばし食ふ　西村麒麟『鴇』

お正月といえば、やっぱりお雑煮です。汁の中のお餅はとろっとして、かぶりつくと「ぬーん」とよく伸びます。漫画の効果音のような「ぬーん」が絶妙。だらだらしても許される、お正月の大らかな雰囲気も伝わります。

ジャムパンや世界たとえば春を待て　十亀わら『天の川銀河発電所』

世界には、解決できない問題がたくさん。私も、どうしたらよいのか分からないことを抱えています。おろおろと冬をさまよう気持ちに「たとえば春を待て」の希望の声が、すっと届きました。ジャムパンの甘さ明るさが、寒い世界を生きつなぐための灯のように、私の心をぬくめます。そう、待てば必ず、春はやって来るのです。

生々流転、この世界のすべてのものは、次々に生まれては、時間の経過とともに変化し続けます。いつまでも変わらないものなどないという「無常」の真理は、特に平安時代以降の日本の文学が向き合ってきたテーマです。日本三大随筆に数えられる鴨長明の『方丈記』の書き出しも、「行く川のながれは絶えずして、しかも本の水にあらず」、流れゆく川は途絶えることがなくそこにあるけれど、実はもとの水はとっくに押し流され、川の水は常に入れ替わっているのだと、自然の姿になぞらえて無常観を語ります。

喜びも幸せもいつかは過ぎ去ってしまう、それは寂しいことです。でも同様に、悲しみや苦しみも、いつかは終わります。変わらないものなどないことを、めぐる季節は教えてくれます。あたたかな記憶を抱いて、次の季節を迎えることができるなら。世界の変化を、心待ちにできるなら。私たちのはかなく見えるこの生も、小さくたしかな今として、光りはじめます。

3 作ろう！私の五七五

3では、いよいよ俳句作りに挑戦です。俳句を作る目で見つめると、私たちの世界は、ぐっと解像度が上がります。初めてでも挑戦しやすい、いくつかの作り方を紹介しますので、俳句のもつパワーの身に付け方を、一緒に試していきましょう。

まず、俳句について確認です。俳句とは、五七五の「定型」のリズムに乗せ、季節の言葉「季語」の力を借りて詠む、世界でいちばん短い詩だと言われています。独特の日本文化として、「HAIKU」は海外でも通じる日本語の一つです。短くて取り組みやすいこともあり、今では世界中で自由に「HAIKU」が作られています。

上五 故郷（ふるさと）や（切れ字）／中七 どちらを見ても／下五 山笑ふ（季語（春））　正岡子規（まさおかしき）『子規句集』

現代語訳すると「ああ、故郷に帰ってきたのだなあ。どちらを向いて眺めても、春の芽吹きの山がやさしく笑っているよ」という感じでしょうか。「だなあ」の思いの強さが、切れ字「や」の効果です。俳句ではときに「や」「かな」「けり」などの切れ字を用いて、思いを強くにじませます。

「山笑う」は春の季語です。冬は眠っていた山も、木々が芽吹いてほがらかに笑っているように見えることから、俳句では春の山の様子を「山笑う」といいます。久しぶりに帰ってきた故郷が、自分をやさしく迎えてくれているようで、嬉（うれ）しくなった思いが素直に詠まれました。

〈ホップ〉五七五のリズム、数えてみよう

まずは、五七五の定型感覚を育てるのに必要な、音数の数え方を確認しておきましょう。次の言葉はそれぞれ、何音でしょうか？

チューリップ　しんようじゅりん　とうきょうとっきょきょかきょく

それぞれ、五音、七音、十一音です。「ちゃ」「じゅ」「ひょ」などは二文字ですが、一音で数えます。「ー」の伸ばす記号も小さな「っ」も一音です。文字の数よりも、読み上げたときの音のリズムが大切なのです。俳句は耳で感じることを楽しむ詩でもあります。

〈文章〉眠れない子どもと一緒に、月に向かってしゃぼん玉を吹いた
〈俳句〉眠れない子と月へ吹くしゃぼん玉

どうでしょう？　文章よりも俳句になったほうが、きびきびと短く印象的

ですね。五七五のリズムは分かりやすく覚えやすいので、音を数え、言葉の順序を入れ替えたりして、まとめてみましょう。ただ、絶対に五七五でなくてもかまいません。**字余りや字足らずといって、音が多かったり少なかったりする俳句もあります。**

字余り　父呼べば／しーんと針葉／樹林に雪

（5字）（8字）（6字）

これは中七が八音、下五が六音になっている「字余り」の例です。独特のリズムが生まれていれば、少々音がはみ出しても大丈夫。また、意味の切れ目が、五七五の途中にあってもかまいません。

句またがり　花壇にぎやか／チューリップ／赤白黄
（かだんにぎ／やかちゅーりっぷ／あかしろき）

五七五のリズムとは違う場所（この句の場合は中七の途中）に意味の切れ目が来ている「句またがり」の例です。五七五でなくても「七・五・五」や「八・九」など、俳句にはさまざまな呼吸があります。合計十七音を上手に息つぎして使えば万事ＯＫ。無理に言葉を押しこめることはありません。日本語の意味も大切にしつつ、楽しく定型のビートを感じてみてください。

〈ステップ〉窓を開けて、季語を感じよう

定型感覚がおさえられたら、次は「季語」です。歳時記(さいじき)や季寄せといった季語辞典をめくれば、たくさんの季語が載っています。最近では、インターネット歳時記や季語アプリもありますので、検索(けんさく)すれば調べることができます。3のおわり（一一二〜一一三頁）にも季語一覧を用意したので、参考にしてくださいね。といっても、難しく考える必要はありません。まずは、今、近くにある窓を開けて、外を見てみましょう。今が春なら、吹いてくるのは「春の風」、見上げた空は「春の空」、雲が浮かんでいれば「春の雲」です。

なんてことはない、季語はいつも、私たちのすぐそばにあるのです。

〈ジャンプ〉まずは一句、作ってみよう

さて、窓を開けたら何が見えますか？　まず、前半の上五中七で、見える風景を描写してみましょう。下五には、窓を開けて感じた、今の季節の風の名前（春の風／夏の風／秋の風／冬の風）を入れてみてください。

なになに？　窓を開けたら、ベランダに洗濯物が見えるって？

体操着くつしたパンツ春の風

洗濯物の名前を並べて、にぎやかな春の気分を出してみました。

小さく富士山が見える日があるって？　いいね、それも俳句になりそう！

富士山がちょこんと小さし夏の風

うちはお向かいの窓があるだけで、景色なんて何も見えない？　いえいえ、

それも俳句になるんです。

お向かいの窓すぐそこに秋の風

ちょっと手狭な町に住む気分が、じんわりにじんでくると思います。
今はおうちじゃなくて、学校の図書室にいる？　空は晴れていますか？

図書室の窓のあおぞら冬の風

「冬の風」が、ちょっと孤独な気持ちも連れてくるかもしれません。
さあ、あなたの「窓を開けて一句」は、どんな句になるでしょう？

いろんな作り方、試してみよう

①まずは季語を選ぶという方法

最初に季語を決めるのが、いちばんシンプルな作り方です。歳時記をめくって、自分の記憶をくすぐる季語を探しましょう。見つかったら、その季語にまつわる思い出を書き出してみます。

たとえば、夏の季語に「金魚」を見つけました。夜店の屋台で金魚すくいをした記憶を思い出します。そういえば、頑張ったんだけど全然うまくすくえなくて、隣で友だちはひょいひょい金魚をつかまえていたから、悔しかったなあ……。「金魚」という季語を核に、記憶が物語を描きます。

たとえば、こんな俳句もできそうですね。

　　僕よりも上手に金魚すくうヤツ

「悔しかった」という感想は書かず、そう感じる対象を描写しました。一歩踏みこみ、詳(くわ)しくイメージすると、余白をたっぷり含む俳句になります。

では、冬の季語「蜜柑(みかん)」に材をとった、次のエピソードで一句、作ってみましょう。


〈例題〉主人公の「私」が汽車に乗って発車を待っているとき、ボックスの向かいの席に、風呂敷包みを抱いた手に霜焼け（しもやけ）のある少女が座りました。しばらくすると少女は電車の窓をおもむろに開け、線路脇で手を振っている少年たちを見つけると、持っていた五〜六個の蜜柑を投げたのです。その少年たちは、村を出て働きにいく姉である少女を見送りに来た弟たちでした。蜜柑は、あたたかな日の色に染まっていました。

実はこのエピソードは、芥川龍之介（あくたがわりゅうのすけ）の小説『蜜柑』の一部を私が要約したものです。短編ですが、心がほっとぬくもる作品です。このエピソードをもとに、みなさんならどんな「蜜柑」の俳句を作るでしょうか。

少女に焦点を絞（しぼ）れば〈汽車に乗る少女蜜柑の匂（にお）いして〉、少年たちの視点から詠むなら〈少年は姉に手を振る蜜柑山〉、関係性を詠むなら〈日だまりの色の蜜柑を弟へ〉……。思い出の解像度が高ければ高いほど、生まれてくる俳句の可能性も広がります。

実際に体験した思い出を詠むことで、たった十七音の言葉にも、リアリティが宿ります。歳時記をめくってみてください。きっと、あなたにウインクしてくる季語があるはずです。

②かたちのある季語、どこにあれば面白い？

実際に見たり触(さわ)ったりできるものを詠みこむと、読者の感覚を刺激する俳句になります。

季語がどこにあると面白いか、想像を広げてみましょう。

ちょっと意外な場所に発見すると、読者とも驚きが共有できる俳句になります。

たとえば次の季語だと、どうでしょうか。

（春）花の種　（夏）捕虫網(ほちゅうあみ)　（秋）団栗(どんぐり)　（冬）雪だるま

花の種や団栗がどんなところにあると、意外で新鮮でしょう。

〈例〉おばあちゃんのミシンの部屋に花の種
　塾五階エレベーターの捕虫網
　団栗のゆらめき光る水の底
　ベランダの手すりの上の雪だるま

ミシンと花の種、塾と捕虫網、団栗と水底、ベランダと雪だるま。あんまりたくさんのことは詰めこまず、シンプルにまとめるのがコツです。

③観察しよう！　季語の実物にふれる

実際に、季語にふれた実感をもとに俳句を作るのもおすすめです。通学の途中で道端の草花や虫を観察したり、空の星や雲の流れを見つめたり。おうちのキッチンや家庭科の授業で旬(しゅん)の食材を料理したり。

特に五感(ごかん)を意識すると、感覚に訴える面白い句が作れます。

〈五感チェックポイント〉

視覚 色、かたち、数

触覚 ざらざら、つるつる、温度、かたさ

味覚 苦い？ 甘い？ イメージでもよし

聴覚 どんな声？ どんな音？ 大？ 小？

嗅覚 甘い匂い、くさい……

たとえば「春の雨」。視覚は「銀色」「まっすぐ」、触覚は「さらさら」「濡(ぬ)れている」、味覚は「甘い」、聴覚は「ささやく感じ」、嗅覚は「土の匂い」。

この五感チェックから、感覚をまたいで二つか三つを組み合わせます。

〈例〉 銀色のさらさら甘い春の雨

まっすぐにささやいてくる春の雨

濡れている土の匂いの春の雨

ほら、春の雨の感触が伝わってきそう。観察は、おうちのキッチンでも手軽にできます。冷蔵庫の野菜も、たいてい季語です。年中売られている「きゅうり」も、本来は夏の季語。切ったりかじったりして五感を確かめましょう。視覚「うす緑」、触覚「とげとげ」「種はもやもや」、味覚「水の味」、聴覚「さくっさくっ」、嗅覚「青くさい」。これをまとめてみると〈青くさいもやもやの種きゅうり切る〉〈きゅうり嚙(か)むさくっさくっと水の味〉など。

「観察」で大切なのは「発見」です。先入観をいったん脇に置き、自分の感覚で受け止めてみましょう。きっと新しい手触りの俳句ができるはずです。

④何に似ている？　たとえてみよう

季語を観察・連想するとき、色や音や匂いが何に似ているか、比喩の発想を使うと世界が広がります。次の季語を何かにたとえてみましょう。

〈例題の季語〉石鹸玉（しゃぼんだま）　アイスキャンデー　案山子（かかし）　雪

〈比喩の言葉〉まるで、～のよう、～みたい、～に似て、～ほど……

〈例〉くるくると地球みたいな石鹸玉

分け合ってアイスキャンデー空の色

父さんにかなり似ている案山子です

世界もう終わったように海へ雪

「AがBに似ている」と気づくのも、大きな発見です。常識にとらわれず自分の感覚を大切にして、「私はこう思うんだけど、どうかな?」と差し出してみましょう。きっと、読者も楽しく驚いてくれます。

思いをかたちにする方法　取り合わせ

次の二句を比べてみてください。

A　友だちと駅で別れて春の風

B　友だちと駅で別れて秋の風

「友だちと駅で別れて」というフレーズはそのままで、下五の季語「春の風」「秋の風」だけが違います。なのに、AとBで大きく印象が違いますね。Aなら、あたたかい春風のやさしさに包まれるので、また友だちにもすぐ会えそうですし、明日への希望が感じられます。Bだと、秋の風のわびしさが、もう会えないかもしれないという不安や寂しさを際立たせます。

取り合わせとは、季語と、直接関係なさそうなフレーズを組み合わせ、二つのイメージのぶつかりあいや融和など、関係性を味わう技法です。どんな季語を取り合わせるかで、句の意味も大きく変わってきます。

季語を含む5音 + 思いをこめた12音

西瓜(すいか)切る／少年兵のいない国　　神野紗希

『すみれそよぐ』

右の句は、季語の西瓜を切っている現実の風景と、「少年兵がいない国」という十二音のフレーズとの取り合わせでできています。今、日本はかろうじて「少年兵のいない国」ですが、かつての日本では少年も兵士として戦争に行かされ、世界では今も少年兵が血を流す国があります。この平和が続き、世界へも広がりますように……。そんな願いをこめ、十二音をまとめました。取り合わせた「西瓜切る」は、なつかしい日本を感じさせ過去の戦争も想起させる、八月ごろの身近なものとして選びました。西瓜の赤、「切る」の物騒な言葉は、血のイメージを連想させるかもしれません。

この取り合わせの技法を使えば、幅広い出来事や複雑な思いも、十七音に詠みこむことができます。

たとえば、次のように考えてみましょう。今までは季語が先でしたが、今度は思いのほうを立たせてみるのです。心の声を反映したフレーズをいくつか挙げてみます。この1～3に、それぞれ、どんな季語のフレーズを合わせると一句になるでしょうか。

1　星座にはならぬ星屑（ほしくず）
2　いつか全部終わる
3　頑張れと言いたくて言えなくて

1は、星座をかたちづくれない、目立たない星もたくさんあるのだと思いをはせ、パッとしない自分を重ねたフレーズです。十二音なので、残り五音を季語で埋めます。同じく地味な動物や植物を合わせることで、ささやかでもちゃんと光っているものの存在が際立つかもしれません。

2は、投げやりにも達観にも見えるフレーズです。九音なので、残りは八音前後。もし言葉を継ぐなら「ぶらんこの西日」？「落葉蹴（け）り飛ばす」？

どう埋めるか、自由度の高い取り合わせです。

3は、誰かへ寄せる思いのもどかしさをパッキングしたフレーズ。十五音あるので、季語に使えるのは二音だけ。制約が厳しいですが、二音の季語から選びます。春、夏、虹(にじ)、霜、蔦(つた)、鵙(もず)、雪……、どれが気持ちのニュアンスを引き出せるでしょう。

1　星座にはならぬ星屑かたつむり
2　いつか全部終わる桜貝のピアス
3　頑張れと言いたくて言えなくて雪

1・2神野紗希『すみれそよぐ』、3同『星の地図』

たとえば、ある日あるときの私が出した一つの答えを挙げてみました。季語の選び方で、フレーズのニュアンスが方向づけられますね。

1　心の声を取り入れる

〈例〉「寂しい、ちょっとだけでもいいから君に会いたい」

2　そのときの気分を季語にたとえると？　（複数可）

〈例〉「芒原（すすきはら）」「落葉」「月」

↓　ちょっとだけ君に会いたい芒原

1と2を組み合わせると、心のかたちに添った句ができます。季語を選ぶときには、フレーズのニュアンス（寂しい、嬉しい、楽しいなど）をイメージして、それに合うものを歳時記から探してみるとよいでしょう。

推敲（すいこう）　作った句、見直そう

作った俳句を見直して修正することを「推敲」といいます。ここをチェックするとワンランクアップするよという、推敲のポイントを紹介します。

①「嬉しいな」「おいしいな」、の感想を別の言葉に置き替えよう！

【推敲前】サンタさんほんとにいるんだ嬉しいな
【推敲後】サンタさんほんとにいるんだ宇宙図鑑

【推敲前】ばあちゃんの作る栗飯おいしいな
【推敲後】ばあちゃんの作る栗飯ほっくほく

「嬉しいな」「おいしいな」といった感想を示す言葉をついつい入れがちですが、省略したほうが読者の想像力を刺激できます。そのぶん、なぜ嬉しいか、なぜおいしいかといった理由を、具体的に描写してみましょう。嬉しい、おいしいと感じた証拠を挙げて、読者を納得させるのです。

②季語を一つに絞ってみよう!
【推敲前】寒い冬手袋(てぶくろ)に息吐(は)きかける
【推敲後】風びゅんびゅん手袋に息吐きかける

【推敲前】除夜(じょや)の鐘(かね)数えるのやめ大晦日(おおみそか)
【推敲後】除夜の鐘数えるのやめ猫と聞く

季語は、それぞれの季節の空気感をまとっています。「手袋」なら冬の寒さを、「除夜の鐘」なら大晦日の厳かな雰囲気を、それぞれ感じさせてくれます。だから「寒い冬」「大晦日」といったもう一つの季語がなくても、じゅうぶん伝わります。そのぶん、寒さを感じさせる風をオノマトペで描写したり、どんなふうに除夜の鐘を聞いているか具体的にしたりしてみました。

季語が二つ入ったときは、どちらか削れる可能性があります。言葉の秘めた力を信じ、必要のない説明は省きましょう。俳句は省略が大切です。

③あと一歩、具体的にしてみよう！

【推敲前】夏休みいとこと一緒に出かけよう

【推敲後】夏休みいとこと海へイルカ見に
【推敲前】公園で夕焼け見てる帰り道
【推敲後】ぶらんこで夕焼け見てる帰り道

いとことどこへ出かけるのか、公園のどこで夕焼けを見ているのか、さらに具体的に書くと、読者が句の世界を想像しやすくなります。誰にでもあてはまる最大公約数を目指すことはありません。自分の思う具体的な場面を描けば、普遍的な心情もちゃんと伝わります。

〈ステップアップ〉こんな発想法もあるよ

①キャラクターを立ててみよう――「私」以外の人を詠む

俳句では、必ずしも「私」が主役でなくてかまいません。物語のように、句の主人公と場面を設定して詠んでみることもできます。そして、その主人公は、人間でも動物でもよいのです。

（春・夏・秋・冬）に（　誰　）が（　どこ　）で（　何　）する

〈例〉秋、少年が保健室で眠っている

↓　保健室に眠る少年秋の風

〈例〉冬、ライオンの子が動物園で雪を見る

↓　ライオンの子にはじめての雪が降る

ワンシーンを切り取れば、その前後の物語や、登場人物の心情など、読者は自由に想像してくれます。

②ＳＮＳでシェアしたくなる風景を切り取る

俳句は、風景を描く「叙景詩」としてもすぐれています。見つけたら写真に撮って誰かとシェアしたくなる風景を、思い描いてみましょう。

1　心ひかれる風景を探しましょう。学校や家でお気にいりの場所は？

2　そこでどんな季節を感じるのが好きですか？

〈例〉美術室から見る、冬の夕焼け

↓　溶けてゆく冬の夕焼け美術室

旅先の風景に季節を見つけ、思い出を言葉に残すのもおすすめです。たとえば、高知でホエールウォッチングをしたら〈土佐の海クジラのしぶき一度きり〉、京都で紅葉（もみじ）と舞妓（まいこ）さんを見かけたら〈舞妓さん銀のかんざし山紅葉〉なんて詠むこともできます。カメラのシャッターを押すように、風景を切り取ることのできる俳句は、言葉のアルバムになるのです。

③地元を詠んでみよう

たった十七音だからこそ、これが自分の作品だというオリジナリティも大事です。よく知っている地元は、オリジナリティたっぷりの句材(くざい)です。

〈例〉愛媛県松山市。松山城から瀬戸内海や西日本最高峰の石鎚山(いしづちさん)が見える。「日本書紀」に登場する道後(どうご)温泉や、特産の蜜柑も有名

↓ 瀬戸内も石鎚も春天守閣
猫も寝る道後温泉蜜柑剝(む)く

海や山や川の名前、地域の方言など、土地独自の具体的なものを句に詠みこむと、歴史とリアリティが加わり、十七音がずしりと重くなります。

④世界の片隅を探して心を寄せる

世界の真ん中で輝いているものだけではなく、世界の片隅に生きる健気(けなげ)なものたちにも、スポットライトを当ててみましょう。

〈例〉段ボールで鳴く子猫、雪の夜に灯(とも)る自動販売機……
　↓　段ボール桜の花びらと子猫
　　　雪の夜のともしび自動販売機

　ここにも生きているものがいると示すことで、あなたが発見した世界を届けることができます。小さな命を発見し、やさしくすくい上げるのも、俳句という小さな器だからこそもちうる力なのです。

　紹介した作り方は、あくまで一例です。俳句の創作に決まりはありません。生きている中で感じた世界の感触や心の揺れを、自由に言葉にしてください。いつかどこかで、みなさんの俳句と出会えるのを楽しみにしています。

はじめの一歩 季語一覧

春

如月（きさらぎ）　立春（りっしゅん）　冴返る（さえかえる）　暖か（あたたか）　麗か（うららか）　日永（ひなが）　牡丹雪（ぼたんゆき）　朧月（おぼろづき）　風光る（かぜひかる）　陽炎（かげろう）
春の闇（はるのやみ）　春の虹（はるのにじ）　山笑う（やまわらう）　春泥（しゅんでい）　水温む（みずぬるむ）　薄氷（うすらひ）　雪解川（ゆきげがわ）　春休（はるやすみ）　石鹼玉（しゃぼんだま）
遠足（えんそく）　草餅（くさもち）　卒業（そつぎょう）　風船（ふうせん）　ぶらんこ　耕す（たがやす）　春の夢（はるのゆめ）　朝寝（あさね）　春愁（しゅんしゅう）　雛祭（ひなまつり）　猫の恋（ねこのこい）
亀鳴く（かめなく）　燕（つばめ）　雲雀（ひばり）　囀（さえずり）　桜貝（さくらがい）　蝶（ちょう）　蜂（はち）　梅（うめ）　椿（つばき）　桜（さくら）　木蓮（もくれん）　竹の秋（たけのあき）　桃の花（もものはな）　菫（すみれ）
芽吹（めぶき）　チューリップ　菜の花（なのはな）　レタス　桜草（さくらそう）　蒲公英（たんぽぽ）　犬ふぐり（いぬふぐり）　土筆（つくし）

夏

初夏（はつなつ）　薄暑（はくしょ）　麦の秋（むぎのあき）　梅雨（つゆ）　短夜（みじかよ）　夏至（げし）　涼し（すずし）　晩夏光（ばんかこう）　雲の峰（くものみね）　南風（みなみかぜ）
夕立（ゆうだち）　虹（にじ）　夕焼（ゆうやけ）　夏野（なつの）　青田（あおた）　炎天（えんてん）　滝（たき）　夏帽子（なつぼうし）　冷奴（ひややっこ）　噴水（ふんすい）　扇風機（せんぷうき）
ハンカチ　ヨット　夜店（よみせ）　金魚（きんぎょ）　花火（はなび）　ソーダ水　麦茶（むぎちゃ）　かき氷　水着　裸足（はだし）
汗（あせ）　昼寝（ひるね）　網戸（あみど）　雨蛙（あまがえる）　水母（くらげ）　蛍（ほたる）　蟻（あり）　蝸牛（かたつむり）　空蟬（うつせみ）　ごきぶり　葉桜（はざくら）　パセリ
薔薇（ばら）　紫陽花（あじさい）　新樹（しんじゅ）　万緑（ばんりょく）　向日葵（ひまわり）　バナナ　苺（いちご）　トマト　青林檎（あおりんご）

秋

残暑（ざんしょ）　新涼（しんりょう）　秋の暮（あきのくれ）　水澄む（みずすむ）　冷やか（ひややか）　秋の声　天高し（てんたかし）　鰯雲（いわしぐも）　天の川（あまのがわ）
月　流星（りゅうせい）　夜長（よなが）　野分（のわき）　霧（きり）　露（つゆ）　秋刀魚（さんま）　枝豆（えだまめ）　七夕（たなばた）　墓参（はかまいり）　小鳥来る（ことりくる）
鹿（しか）　雁（かり）　秋蝶（あきちょう）　蜩（ひぐらし）　赤蜻蛉（あかとんぼ）　鈴虫（すずむし）　蓑虫（みのむし）　金木犀（きんもくせい）　桃（もも）　梨（なし）　柿（かき）　林檎（りんご）　葡萄（ぶどう）　芒（すすき）
レモン　紅葉（もみじ）　団栗（どんぐり）　秋桜（こすもす）　草の花　桔梗（ききょう）　野菊（のぎく）　露草（つゆくさ）　じゃがいも

冬

小春（こはる）　短日（たんじつ）　寒し　春隣（はるとなり）　凍雲（いてぐも）　冬銀河（ふゆぎんが）　初雪（はつゆき）　風花（かざはな）　枯野（かれの）　山眠る（やまねむる）
霜柱（しもばしら）　冬休（ふゆやすみ）　毛布（もうふ）　セーター　手袋（てぶくろ）　マスク　焼藷（やきいも）　鯛焼（たいやき）　クリスマス
おでん　炬燵（こたつ）　日記買う（にっきかう）　息白し（いきしろし）　風邪（かぜ）　冬眠（とうみん）　兎（うさぎ）　熊（くま）　鯨（くじら）　浮寝鳥（うきねどり）　凍蝶（いてちょう）　鷹（たか）
白鳥（はくちょう）　返り花（かえりばな）　山茶花（さざんか）　蜜柑（みかん）　落葉（おちば）　裸木（はだかぎ）　水仙（すいせん）　葱（ねぎ）　大根　白菜　竜の玉（りゅうのたま）

新春

今朝の春（けさのはる）　去年今年（こぞことし）　初日の出　初御空（はつみそら）　淑気（しゅくき）　初景色（はつげしき）　門松（かどまつ）　鏡餅（かがみもち）
年玉（としだま）　賀状（がじょう）　書初（かきぞめ）　初旅　雑煮（ぞうに）　数の子（かずのこ）　初湯（はつゆ）　初電話　初笑（はつわらい）　初夢（はつゆめ）
初日記　歌留多（かるた）　双六（すごろく）　独楽（こま）　手毬（てまり）　初鏡（はつかがみ）　七草粥（ななくさがゆ）　初詣（はつもうで）　初雀（はつすずめ）　初鴉（はつがらす）　福寿草（ふくじゅそう）

次の一歩をふみだす地図

子規記念博物館と
「吟行ナビえひめ」

俳都松山
「俳句ポスト365」
（松山市）

『俳句を楽しむ』
佐藤郁良
（岩波ジュニア新書）

若者向け俳句投稿欄
「青嵐俳談」
（愛媛新聞ONLINE）

俳句甲子園
（haikukoushien.com）

小説
『春や春』
森谷明子
（光文社）

神奈川大学
全国高校生俳句大賞
「17音の青春」

コミック
『ぼくらの17ーON』
アキヤマ香
（双葉社）

俳句部
ただいま入部受付中

アニメ映画
『サイダーのように
言葉が湧き上がる』
（松竹，2021）

「お～いお茶
新俳句大賞」
（伊藤園）

「KODOMO俳句」
（読売新聞）

『部活で俳句』
今井聖
（岩波ジュニア新書）

月刊『俳句』
（角川文化振興財団）

「きごさい歳時記」
（kigosai.sub.jp）

『俳句歳時記』
角川書店編
（KADOKAWA）

現代俳句協会
（gendaihaiku.gr.jp）

『30日のドリル式
初心者にやさしい
俳句の練習帳』
神野紗希
（池田書店）

俳人協会・
俳句文学館
（haijinkyokai.jp）

俳句が世界を変える——あとがきにかえて

科学は、病気を治す薬を発明したり絶滅危惧種を守ったり、世界そのものを変える力をもちます。一方、文学は、世界のとらえ方を変えるものです。

静寂は爆音である花吹雪　　又吉直樹　『芸人と俳人』

芥川賞作家の芸人・又吉直樹さんの俳句です(集英社文庫所収)。音もなく桜の花が散る、美しい光景です。しかし又吉さんは、その静寂を「爆音」だととらえました。静寂が正反対の爆音のように感じられるほど、圧倒的な孤独の中にいるのでしょうか。散る桜も狂気を帯びているようで、なおさら目が離せません。私はこの句を知ってから、静かな桜を見るたび、聞こえない爆音を聞きます。

もりあげてやまいうれしきいちご哉　正岡子規　『子規全集』

明治二十八年、病で生死の境をさまよい一命をとりとめた子規は、神戸の病院に入院していました。後輩の高浜虚子と河東碧梧桐は、看病のために毎日、近くの農園から苺を採ってきます。くだものが大好きな子規は、山盛りの苺を用意してもらえるのも病気になったおかげだ、病気は嬉しいものだなあ、と詠みました。ふつう、病気は嫌なものです。でも、子規はあえて、発想を変えました。言葉の力で、逆境も肯定してみせたのです。

科学で解決できないことを前にしたとき、私の世界を言葉で変えるのが、俳句の力です。その力は、俳句を受け取った人の世界をも変えうるのです。

「俳」という字のつくりである「非」には、「そむく。逆の方へ向く」（『新漢語林　第二版』）という意味があります。あえて常識にそむき、違う考え方を採用してみることで、逆境をのりこえる力が生まれ、自分とは異なる他者への理解も深まります。

「こう考えてみたらどうだろう」と思考に角度をつけ、マイナスをプラスに変えてみましょう。俳句には、現代を生き抜くヒントがあります。過去の俳人たちは、言葉の想像力で、答えの出ない困難を乗りこえてきました。みなさんもまた、解決できない問題の山積する、分断と混乱の時代へ漕ぎ出してゆくことになります。そのとき、俳句という詩の考え方を装備に加えておくことで、自分らしさを見失わず生きてゆけるかもしれません。

俳諧や木の実くれさうな人を友　正岡子規　『子規全集』

木の実はたいした役に立ちませんが、心を灯します。受け取ったとき、ふと笑みがこぼれます。「俳諧」＝俳句とは、誰かと木の実を差し出し合い、友だちのように語り合える、あたたかい詩です。言葉を通して、他者と心を通わせる経験は、きっとみなさんの財産になります。

私たちはふつう、明日もあさっても、今日と同じ日常が続くと思っています。でも、そんな保証はありません。それに、俳句をはじめると、今日と同じ日は二度と来ないことに気づきます。朝焼けに染まる雲のかたち、朝ごはんのウインナーの焦げ、「おはよう」とあくびする友だちの寝ぐせ、教室を吹き抜けてゆく春風のやわらかさ。それらはすべて、今、この瞬間にしか存在しないものです。

今日がもし、世界最後の日だったら、なんでもない日々の風景も、一度っきりの今として、輝きだすでしょう。そのかけがえのない世界のかけらに心ときめくとき、あなたはもう、りっぱな俳人です。

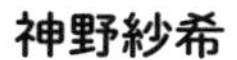

神野紗希

俳人。俳句を作ったり、俳句の研究をしたりする人。1983年、愛媛県松山市生まれ。高校時代、俳句甲子園をきっかけに俳句をはじめる。NHK「俳句王国」司会や全国の学校への出張授業、愛媛の観光を盛り上げる「HAIKU LABO」などを通し、俳句の魅力を発信。現代俳句協会幹事、日本経済新聞、信濃毎日新聞俳壇選者。句集に『星の地図』(マルコボ. コム)、『すみれそよぐ』(朔出版)、著書に『日めくり子規・漱石』(愛媛新聞社・第34回愛媛出版文化賞大賞)など。

岩波ジュニアスタートブックス
俳句部、はじめました
——さくら咲く一度っきりの今を詠む

2021年3月26日　第1刷発行
2024年8月6日　第4刷発行

著　者　神野紗希（こうのさき）

発行者　坂本政謙

発行所　株式会社 岩波書店
〒101-8002 東京都千代田区一ツ橋2-5-5
電話案内 03-5210-4000
https://www.iwanami.co.jp/

印刷・三秀舎　製本・中永製本

ISBN 978-4-00-027233-9　NDC 911　Printed in Japan

Iwanami Junior Start Books

岩波 ジュニアスタートブックス

未来をつくるあなたへ

中満 泉

核兵器、難民、気候変動、格差…、様々な課題をとりあげながら、未来のために勇気をもって一歩を踏み出すことの大切さを伝えます。

地震はなぜ起きる？

鎌田浩毅

地震の起きるしくみや歴史的な巨大地震、今後予想される大地震や必要な備えを、京都大学の人気教授がわかりやすく解説します。

俳句部、はじめました

――さくら咲く一度っきりの今を詠む

神野紗希

俳人として活躍中の著者が俳句の魅力と作る楽しさを伝授します。作句の過程は、この不確かな世界を生き抜く力になってくれるはずです。

地球温暖化を解決したい

――エネルギーをどう選ぶ？

小西雅子

温暖化を解決するカギはエネルギーの選び方。水力、風力、太陽光、石油、石炭、天然ガス、原子力の特徴をていねいに解説します。